Das beste Buch der Donald Trump-Witze
Danny Patrick Rose

Das beste Buch der Donald Trump -Witze

Von Trumpzilla bis Twitler:
Alles über den großartigsten
Präsidenten der Welt

Danny Patrick Rose

Berlin und New York 2017

Das beste Buch der Donald Trump-Witze
Danny Patrick Rose

Übersetzt von Eva C. Schweitzer

Cover Artwork: Chuck Williams
Der Troll ist erhältlich bei:
http://williamsstudio2.com
Mehr auf Seite 104

Wir danken dem Postillon für alle Texte und der BVG
für die Zurverfügungstellung des Fotos auf Seite 84.

© 2017 Manahatta Publishing
255 West 43rd St., Suite 1012
New York, NY, 10036

Gedruckt in der EU

ISBN Print:
978-3-96026-009-7

ISBN Ebook:
978-3-96026-010-3

www.manahatta.com

Inhalt

1

Ivana, Marla, Melania: Trump und die Frauen

"Wie Michelle Obama, wache auch ich jeden Morgen in einem Haus auf, das von Sklaven gebaut wurde ..."

"... ich meinte, unbezahlte Handwerker ..."

Als Donald Trump noch ein einfacher Baulöwe in New York ist, wird er einmal von einem Reporter gefragt, wem er es denn hauptsächlich verdanke, dass er Millionär sei.

„Vor allen Dingen", sagt er, „verdanke ich das meiner Ex-Frau Ivana."

„Warum Ivana?" fragt der Reporter.
„Weil ich vor der Scheidung noch Milliardär war."

Trump lässt sich von Marla Maples scheiden, seiner zweiten Frau. Diesmal will er ein bisschen vorsichtiger mit seinem Geld sein als bei Ivana. Die beiden treffen sich vor dem New Yorker Familiengericht, und der Richter sagt: „Ich gestehe Ihrer Frau jeden Monat 50 000 Dollar zu."

„Das ist sehr großzügig, Euer Ehren", sagt Trump. „Und nur damit Sie sehen, dass ich mich nicht lumpen lasse, werde ich auch noch ein paar Hunderter drauflegen."

Als Trump mit seiner dritten Frau Melania das erste Mal im Golfclub auftaucht, sind alle seine Freunde von ihrer Schönheit begeistert. Einer von ihnen nimmt Trump beiseite und fragt, „Sag mal, wie hast du das geschafft, dass so ein heißer Feger ja gesagt hat?"

„Ganz einfach", sagt Trump. „Ich habe über mein Alter gelogen."

„Ach", sagt der Freund. „Hast du ihr gesagt, du seist erst 40?"

„Nein", sagt Trump. „Ich habe ihr gesagt, ich sei 99."

Donald Trump bekommt einmal Besuch von einem seiner Geschäftspartner, ein sehr reicher Scheich aus Saudi-Arabien. Als der Scheich Melania erblickt, ist er völlig aus dem Häuschen. Sie ist die schönste Frau, die er je gesehen hat. Und so fragt er Trump, ob der es ihm erlaube, wenigstens ein einziges Mal mit seiner Frau zu schlafen.

„Natürlich nicht!" sagt Trump entrüstet.

Aber der Scheich gibt nicht nach. „Wenn du es mir erlaubst, nur einmal, werde ich dir ihr Gewicht in Gold schenken", sagt er.

Trump wird nun schwankend. Dann sagt er. „Na gut, aber gibt mir noch ein paar Tage."

„Willst du noch einmal darüber nachdenken?" fragt der Scheich.

„Nein, ich will sie noch ein bisschen fetter füttern!"

Warum wird Trump immer nur mit Melania gesehen?
— Alle seine anderen Frauen unterstützen Hillary Clinton.

Trump kann eines Nachts nicht einschlafen und beschließt, sich zu amüsieren. Er zieht legere Kleidung an und setzt sich eine Sonnenbrille und eine Mütze auf, damit ihn keiner erkennt. Dann bestellt seinen Chauffeur ein, und fährt mit dem Aufzug hinunter von seiner Wohnung im obersten Stock des Trump Tower bis hinunter in die Tiefgarage. Dort sagt er dem Chauffeur, der solle die Straßen von New York abfahren, damit er eine hübsche Prostituierte aufgabeln kann.

Und tatsächlich, schon nach ein paar Blöcken sieht er eine schick gekleidete Nutte an der Fifth Avenue stehen. Er lässt den Chauffeur anhalten, kurbelt das Fenster herunter und fragt: „Wie viel kostet es bei dir?"

Die Prostituierte dreht sich ganz langsam herum, tritt näher und sagt: „Meine Dienste fangen bei fünfhundert Dollar an. So viel kostet ein Handjob."

„Fünfhundert Dollar!" ruft Trump aus. „Kein Handjob der Welt kann so viel Geld wert sein!"

Die Prostituierte tritt einen Schritt zurück, hebt den Arm und sagt: „Siehst du das Mietshaus da drüben? Das gehört mir. Ich habe das kaufen können, weil ich so super Handjobs gebe, dass alle meine Kunden mir gerne 500 Dollar dafür zahlen."

Trump zögert, aber dann denkt er, warum nicht, ich habe ja genug Geld, und lässt die Prostituierte in seine Limousine klettern. Und tatsächlich, er ist begeistert. „Du hast nicht übertrieben", sagt er und rückt das Geld raus. „Das war 500 Dollar wert."

Aber er fühlt sich immer noch nicht müde und so lässt er seinen Chauffeur weiter die Straßen von New York abfahren, nun die Prostituierte neben sich. Gegen Mitternacht kommen sie am Central Park an, und Trump lässt an einer dunklen Ecke anhalten. „Wie wäre es mit einem Blowjob", fragt er.

„Aber gerne", sagt die Prostituierte. „Das kostet tausend Dollar."

„Tausend Dollar!" ruft Trump aus. „Wo gibt es denn sowas!
Ich habe noch nie von einem so teuren Blowjob gehört!"

Die Prostituierte deutet auf ein großes Hotel am Central
Park und sagt: „Siehst du dieses Hotel da drüben? Das
gehört mir auch, weil ich so großartige Blowjobs gebe, dass
mir alle Kunden freudig tausend Dollar dafür zahlen."

Trump erinnert sich wieder daran, wie super der Handjob war und
wie reich er ist und holt tausend Dollar aus seiner Brieftasche.
Und tatsächlich, das war der großartigste Blowjob seines Lebens.
Jetzt ist er so aufgekratzt, dass er beschließt, die Prostituierte
mit hoch in seine Wohnung im Trump Tower zu nehmen. Oben
angekommen, öffnet er eine Flasche Champagner und fragt: „Jetzt
habe ich einen tollen Handjob bekommen und einen fantastischen
Blowjob. Jetzt will ich wissen. Was kostet deine Muschi?"

Die Prostituierte tritt ans Fenster und zeigt mit großer Geste
auf ein gewaltiges Hochhaus gleich gegenüber: Das Rockefeller
Center. „Sieht du diesen Wolkenkratzer?" fragt sie.

Trump hält den Atem an, denn er weiß natürlich, was das
Rockefeller Center wert ist. Und er kann sich vorstellen,
wie hoch der Preis nun sein wird. Aber er weiß auch,
jetzt gleich wird er den besten Sex seines Lebens
bekommen, und es ist ihm egal, wie viel das kostet.

„Also", sagt die Prostituierte. „Wenn ich eine Muschi
hätte, würde mir dieser Wolkenkratzer gehören."

Melania trifft sich mit ihrer Freundin Wendy Deng, der Frau von Rupert Murdoch, zum Kaffeetrinken im Trump Tower. Sie plaudern über dies und das, und schließlich vertraut Wendy ihrer Freundin an: „Ich habe beschlossen, mir die Brüste vergrößern zu lassen. Aber erzähle das bloß keinem. Das ist ein Geheimnis!"

„Keine Sorge", sagt Melania. „Ich behalte das für mich. Aber ich will dir auch ein Geheimnis anvertrauen: Ich will mein Arschloch bleichen lassen."

Wendy schüttelt den Kopf. „Ich weiß nicht, Donald in weißblond kann nicht mir nicht vorstellen."

Donald bittet Melania in sein Büro im Trump Tower, weil er etwas Wichtiges mit ihr zu besprechen hat.

„Melania", sagt er. „Ich möchte, dass du alles, aber auch alles, was wir besitzen, verbrennst, wenn ich einmal sterbe."

„Aber warum denn das?" fragt die erstaunte Melania.

„Weil", sagt Trump, „ich den Gedanken überhaupt nicht ertragen kann, dass irgendein Arschloch einmal meine Sachen kriegen wird."

„Aber Donald", sagt Melania. „Ich würde doch niemals ein anderes Arschloch heiraten."

Der Postillon

Ehrliche Nachrichten - unabhängig, schnell, seit 1845

Freitag, 10. Februar 2017

"Kauft Ivankas Sachen!": Weißes Haus startet TV-Shoppingkanal WhiteHouse24

Washington (dpo) - Erst gestern sorgte Donald Trumps Beraterin Kellyanne Conway (50) für Ärger, als sie Bürger in einem Interview dazu aufforderte, die Kollektion von Trumps Tochter Ivanka zu kaufen ("Go buy Ivanka's stuff!"). Jetzt geht das Weiße Haus noch weiter: Im eigens neu gegründeten TV-Shoppingkanal WhiteHouse24 sollen künftig rund um die Uhr Produkte der Trump-Familie beworben werden.

Hauptmoderatorin des Senders soll Conway selbst sein, die ihr Verkaufstalent bereits eindrucksvoll unter Beweis stellen konnte, als sie den US-Bürgern die Präsidentschaft von Donald Trump schmackhaft machte. In der ersten Sendung, die bereits morgen ausgestrahlt werden soll, wird Modedesignerin und Präsidententochter Ivanka Trump als Stargast erwartet.

Aufgezeichnet werden die Verkaufsshows im Presseraum des Weißen Hauses. Dabei sollen vor allem Schmuck und Kleidungsstücke aus der "Ivanka

14

Trump"-Kollektion, aber auch Klassiker wie "Trump Steaks", Trumps Parfüm "Success by Trump", "Die Original Trump-Klobürste", "Trump Vodka" oder "Trump: The Game" angeboten werden.

Sämtliche Produkte können über eine Telefonhotline direkt bestellt werden. Sie sind aber auch über einen Onlineshop erhältlich, der direkt in die offizielle Webseite des Weißen Hauses whitehouse.gov integriert werden soll.

Die ersten 50 Anrufer, die einen der angebotenen Artikel erwerben, erhalten zusätzlich ein Meet & Greet mit Donald Trump persönlich sowie einen Gutschein für eine Begnadigung durch den Präsidenten, falls sie jemals in juristische Schwierigkeiten geraten.

pfg, ssi, dan

Barack Obama, Jeb Bush und Donald Trump sitzen gemeinsam in einem Erste-Klasse-Abteil des Acela Express, des Schnellzugs von New York nach Washington. Kurz nach Philadelphia steigt eine junge, hübsche Frau zu.

Nach etwa zwanzig Meilen erreicht der Zug einen Tunnel, und ausgerechnet in diesem Moment erlebt der Express einen Blackout: Im Abteil wird es pechschwarz. Nur zwei Geräusche sind zu hören: Ein Kuss, und dann eine Ohrfeige. Dann kommt der Zug aus dem Tunnel, und Jeb Bush sitzt da, guckt erschrocken, und hält sich die gerötete Backe

Keiner sagt etwas, aber Obama denkt sich. „Gut, dass diese tapfere Frau für ihre Rechte eingetreten ist. Das ist eine wirkliche, progressive Feministin! Aber warum hat sie Bush eine heruntergehauen, wo es doch ganz klar Donald Trump war? Na, vielleicht hat sie danebengetroffen."

Die junge hübsche Frau denkt: „Präsident Obama ist ein echter Ritter! Er hat jemanden geohrfeigt, weil er mir zu nahe getreten ist. Schade, dass er danebengehauen hat. Das war doch ganz bestimmt Donald Trump, der mich befummeln wollte."

Jeb Bush denkt sich: „Ich habe echt Pech, dass ich die Ohrfeige abbekommen habe. Die junge Frau hat sicher versucht, Donald Trump zu schlagen. Das war garantiert der, der versucht hat, sie zu küssen."

Und Donald Trump denkt sich: „Was für ein Tag! Ich küsse das Mädchen und ich schaffe es auch noch, Jeb Bush eine reinzuhauen."

Im New Yorker Trump Tower steigt eine Frau in dem Aufzug und zufällig betritt auch Trump den Fahrstuhl. Die beiden sind alleine. Die Frau ist völlig überwältigt. Zwischen dem dritten und dem vierten Stock drückt sie auf den Halteknopf, dreht sich zu Trump und sagt: „Oh mein Gott, ich bewundere Sie so sehr, ich habe alle Ihre Bücher gelesen und natürlich auch für Sie gestimmt. Sie sind reich, mächtig, stark, berühmt, gutaussehend … darf ich Ihnen, gleich hier und jetzt, einen blasen?"

Trump guckt sie an, überlegt ein paar Sekunden, und fragt dann: „Und, was springt dabei für mich heraus?"

Eine Bar in Washington, DC. Am Tresen sitzt Trumps Chefberater Steve Bannon vor seinem Bier – ein recht gewöhnlicher Anblick. Ungewöhnlich ist aber, dass er fast in sein Glas heult. Nun betritt Kellyann Conway die Bar, Bannons beste Freundin im Weißen Haus. „Was hast du denn?" fragt Kellyann.

„Ach!" sagt Bannon. „Stell dir vor, Donald Trump hat mich gerade gefeuert! Ich musste sofort meine Sachen packen und gehen."

Kellyann ist entsetzt. „Was, gefeuert? Ausgerechnet dich? Du bist doch unersetzlich! Was hast du denn getan? Hat er dir eine Begründung gegeben?"

„Tja", sagt Bannon, „Also, ich muss zugeben, ich habe während Trumps Rede an den Kongress geschlafen."

„Das ist doch nicht so schlimm", sagt Kellyann. „Du hast so lange und hart gearbeitet, und außerdem, das macht doch jeder mal."

„Aber nicht mit der Frau des Präsidenten."

Donald Trump besucht Hugh Hefner, der Herr der Playboy-Bunnies, in dem berühmten Playboy Mansion in Los Angeles. Er klingelt unten am Tor, und eines von Hefners Bunnies, ein junges Mädchen im knappen Häschenkostüm, öffnet ihm. Trump tritt ein, guckt sie von oben bis unten an, und sagt: „Weißt du was, wenn du dich für mich auszlehst, gebe ich dir tausend Dollar."

Das Mädchen denkt sich, warum nicht, ein bisschen Taschengeld nebenher ist nie schlecht. Und so sie lässt das Häschenkostüm fallen. Trump beguckt sie ausgiebig und drückt ihr dann zehn Hundert-Dollar-Scheine in die Hand. Dann geht er wieder, ohne sich weiter ins Haus zu bemühen.

Gerade als sich das Mädchen das Häschenkostüm wieder angezogen hat, kommt Hefner die Treppe hinunter. Er sieht die Dollarscheine und fragt: „Wer war das denn?"

„Donald Trump", sagt das Mädchen.

„Trump!" ruft Hefner. „Jetzt hat mir der geizige Bastard doch endlich die tausend Dollar zurückgezahlt, die er mir schuldet!"

Donald Trump hat einen sicheren Plan, um Ruhe und Ordnung wieder herzustellen: „Stop und Frisk" — alle auf Verdacht anhalten und durchsuchen.

Das funktioniert garantiert, denn genau so hat er bisher auch alle seine Frauen aufgegabelt.

Ein Abend in der Metropolitan Opera in New York. In der Pause nähert sich eine ältere Dame dem Platzanweiser, der vor der Saaltür steht, und wispert in sein Ohr: „Junger Mann, ich bin gerade sexuell belästigt worden."

Der Platzanweiser sieht sie von oben bis unten an glaubt ihr kein Wort. Aber er verspricht natürlich, sich darum zu kümmern. Während er noch unschlüssig herumsteht, kommt eine zweite ältere Dame. Auch sie erzählt ihm das gleiche: Sie sei gerade, in der Oper, sexuell belästigt worden.

Nun ahnt der Platzanweiser, dass es doch ein Problem gibt. Und gerade, als er sich auf den Weg in Richtung Orchestergraben machen will, meldet sich eine dritte ältere Dame mit der gleichen Beschwerde.

Nun beeilt sich der Platzanweiser. Als er die erste Reihe erreicht hat, sieht er einen alten Mann im feinen Anzug, aber mit Glatze, wie er zwischen den Stühlen herumkriecht. Er tritt näher und fragt: „Was tun Sie hier? Kann ich Ihnen helfen?"

Der Mann blickt auf; es ist Donald Trump. Er sagt. „Aber sicher. Ich habe mein Toupet verloren und versuche, es wiederzufinden. Ich habe schon dreimal gedacht, ich hätte es, aber die hatten alle einen Mittelscheitel — meines hat einen Seitenscheitel."

Als Donald Trump stirbt, plant seine Witwe Melania eine große Trauerfeier mit vielen Gästen, im Trump Tower natürlich. Sie will den geliebten Gatten dort aufbahren lassen.

Zuvor aber nimmt sie den Bestattungsunternehmer zur Seite. „Mein lieber Herr Bestattungsunternehmer", sagt sie. „Meinem Mann war es immer sehr wichtig, dass niemand erfuhr, dass er eigentlich kahl ist. Bitte stellen Sie sicher, dass seine Perücke festsitzt und nicht verrutscht. Wir haben Freunde, die vielleicht seine Hand halten wollen, oder sich weinend über ihn werfen."

Das verspricht der Bestattungsunternehmer auch. Und tatsächlich, es wird eine schöne Leich'; Der Donald aufgebahrt zwischen all seinem Marmor und Gold. Und obwohl einige alte Freunde nochmal an den offenen Sarg herantreten und erschüttert seine Hände und Arme ergreifen und schütteln, sitzt das Toupet fest.

Am Abend bedankt sich Melanie bei dem Bestattungsunternehmer für seine gute Arbeit und will ihm einen extra Tausender zustecken für seine gute, unauffällige Arbeit. Der wehrt bescheiden ab. „Ich bitte Sie, Frau Trump", sagt er. „Was kosten schon ein paar Nägel?"

2

Vom Trump Tower ins Weiße Haus

Torten der Wahrheit

Dinge, denen ich mehr traue als Donald Trump

Draco Malfoy

Ein One-Night-Stand mit Charlie Sheen

Mücken mit dem Zita-Virus

Dem Er-öffnungs-termin des Berliner Flughafens

Drei Tage altem Döner

Einem Koalitions-Vertrag mit Horst Seehofer

Erdogans Idee von Pressefreiheit

Als Trump einmal abends durch den Central Park läuft, wird er von einem Straßenräuber aufgehalten. Der Räuber zieht ein Messer und ruft: „Geld oder Leben!"

Trump bleibt erstarrt stehen und sagt gar nichts.

„Na, wird's bald?" fragt der Räuber.

„Moment mal", sagt Trump. „Ein bisschen muss ich schon noch darüber nachdenken!"

Trump spaziert mit seinem besten Freund – natürlich ebenfalls ein New Yorker Milliardär – die Fifth Avenue in Manhattan herunter. Plötzlich stellt sich den beiden ein Räuber entgegen. Er fuchtelt mit einer Pistole vor ihrer beider Nasen herum und schreit: „Gebt mir euer ganzes Geld!"

Trump greift in seine Tasche, holt seinen Geldbeutel heraus, und bevor er ihn dem Räuber gibt, überreicht er seinem Freund einen Tausender. „Bevor ich es vergesse", sagt er. „Hier ist das Geld, dass du mir letzte Woche geliehen hast."

Wahlnacht in Amerika. Im New Yorker Stadtteil Hell's Kitchen, nahe dem Konferenzzentrum, wo die Demokraten ihren Wahlsieg hatten feiern wollen, liegt eine Bar, die normalerweise immer gut besucht ist. Aber in dieser Nacht, nach der verheerenden Niederlage für Hillary, ist kaum jemand gekommen.

Endlich öffnet sich die Tür und ein Mann kommt herein. Er hat einen „Hillary—I'm with Her"-Sticker an der Jacke und wirkt schwer deprimiert. Er geht an die Bar, lässt sich auf einen Barhocker fallen, schlägt die Hände vor das Gesicht und bricht in Tränen aus.

Wenige Minuten später kommt ein zweiter Mann. Auch er trägt einen Hillary-Sticker. Er setzt sich still neben den ersten Mann und fängt auch an zu heulen.

Die Tür schwingt wieder auf und ein dritter Mann kommt herein. Dies ist klar ein Republikaner — er trägt ein Parteiabzeichen der Grand Old Party. Er sieht die ersten beiden, setzt sich zu ihnen und bricht ebenfalls in Geheule aus.

Der Bartender sieht alle drei an und schüttelt energisch den Kopf. „Jungs, ich sage es euch zum letzten Mal", schimpft er. „Kommt hier nicht rein und redet über Politik!"

Es ist der letzte Tag der Präsidentschaft von Barack Obama. Bevor sich der Präsident ins Privatleben zurückzieht, geht er noch ein allerletztes Mal zum Friseur des Weißen Hauses, um sich die Haare schneiden zu lassen.

Und, natürlich, Trump sitzt bereits da, in Erwartung seiner Präsidentschaft, um sich ebenfalls die Haare herrichten zu lassen. Beide werden gleichzeitig bedient, und die Friseure bemühen sich ängstlich, ja kein Gespräch über Politik aufkommen zu lassen. Eigentlich wird kaum gesprochen und die Spannung in der Luft lässt sich mit Händen greifen.

Donald wird als erster fertig. Aber als der Friseur ihn mit Kölnisch Wasser bestäuben will, wehrt er verärgert ab. „Sind Sie verrückt geworden?" fährt er den Friseur an. „Wenn ich im Trump Tower ankomme und so rieche, als käme ich aus einem Bordell, würde mich Melania tagelang auszanken."

Nun ist auch der andere Friseur fertig, und er fragt Obama. „Mr. Präsident, ich vermute, sie wollen auch kein Kölnisch Wasser?"

„Kein Problem", sagt Barack Obama und lächelt.
„Michelle weiß nicht, wie es in einem Bordell riecht."

Dies ist ein moralischer Test für Fotografen. Wirklich, es ist sehr wichtig, genau darüber nachzudenken und ehrlich zu antworten. Also, so geht der Test. Er dreht sich um eine völlig fiktionale Situation, bei der der Fotograf aber eine wichtige Entscheidung treffen muss.

Hier ist die Situation: Stell dir vor, du bist in Palm Beach, Florida. Gerade ist ein Hurrikan aufgezogen. Der Himmel verdunkelt sich, die Winde rasen, das Meer ist aufgepeitscht. Eine gewaltige Flutwelle hebt sich, die Häuser, Menschen, Tiere, Autos, einfach alles, wegschwemmt.

Du bist von deiner Zeitung geschickt worden, um die Bilder deines Lebens zu machen; Bilder, die deine Karriere befördern können.

Während du im Sturm stehst, erkennst du einen Mann im Wasser, der zwischen den Wellen auf den Strand zutreibt. Der Mann schlägt wild mit seinen Armen um sich und kann offenbar nicht schwimmen. Plötzlich erkennst du sein verzerrtes Gesicht: Es ist Donald Trump.

Du hast jetzt zwei Möglichkeiten: Du kannst deine ganze Ausrüstung beiseite werfen, dich in die Wellen stürzen und den Präsidenten der Vereinigten Staaten retten. Oder Du kannst ein dramatisches, Pulitzerpreis-würdiges Foto schießen, das den Tod des machtvollsten Mannes der Welt zeigt, kurz bevor er Amerika mit sich in den Abgrund zerren konnte.

Hier ist die Testfrage:

Nimmst du deine schwere, teure Nikon, schraubst das richtige Objektiv auf und stellst das Motiv scharf, oder knipst du ganz schnell ein Bild mit deinem iPhone?

Kurz nachdem Donald Trump zum Präsidenten gewählt wurde, will er sein neues Land besichtigen, und reist durch ganz Amerika, natürlich mit Chauffeur. Als es anfängt, dunkel zu werden, erreicht seine Limousine Kalifornien. Gleich hinter der Grenze ist eine Farm, wo ein Schwein frei herumläuft. Leider überfährt es der Chauffeur, aus Versehen natürlich.

Trump überlegt erst, einfach so weiterzufahren, aber dann schickt er doch den Chauffeur zu dem Farmer, um dem hundert Dollar für das tote Schwein anzubieten.

Lange sitzt er im Auto und wartet darauf dass der Fahrer wiederkommt. Aber das dauert, und dauert, und dauert … schließlich, nach einer Stunde kehrt der Chauffeur zurück. Er ist sichtlich angeheitert, hat Lippenstift am Kragen und schleppt einen großen Geschenkekorb mit einer Flasche Champagner mit sich. Die hundert Dollar stecken immer noch in seiner Brusttasche.

„Wie hast du denn das gemacht?" fragt ein völlig entgeisterter Trump.

„Weiß ich eigentlich auch nicht so richtig", sagt der Chauffeur. „Also, ich bin in die Küche gegangen und habe gesagt, „Guten Abend, ich bin der Fahrer von Donald Trump. Das Schwein ist tot."

Ein paar Wochen später lässt sich Trump wieder einmal von seinem Chauffeur durch das Land fahren. Als sie einen schönen See mit einem Uferweg erreichen, will sich der Präsident kurz die Beine vertreten. Er steigt aus der Limousine, rutscht dabei aber so unglücklich aus, dass er, Kopf zuerst, in den See fällt.

Zum Glück hat das ein Junge gesehen, der zufällig am See angeln ist. Der stürzt sich sofort ins Wasser und zieht den schon halb ertrunkenen Trump heraus.

Als der Präsident wieder zu sich gekommen ist, dankt er dem Jungen überschwänglich und bietet ihm an, sich etwas zu wünschen, alles, was er will, auch gerne etwas Besonderes, was ihm nur der Präsident der Vereinigten Staaten geben kann.

Der Junge überlegt nicht lange und sagt,
„Ich möchte ein Staatsbegräbnis."

Trump ist etwas verwundert und sagt, „Okay, ich habe es versprochen und du bekommst es auch, aber warum solch ein abseitiger Wunsch? Du bist doch noch jung und gesund?"

„Jetzt schon", sagt der Junge. „Aber wenn mein Vater erfährt, dass ich Ihnen das Leben gerettet habe, schlägt er mich tot."

Als Präsident Trump hörte, dass Obama gleich zu Beginn seiner Amtszeit einen Preis bekommen hatte, war er erst mal neidisch.

Das legte sich aber, als er erfuhr, dass er der „Nobel Peace Price" war und nicht der „Nobel Piss Price".

US-Präsident Harry Truman war berühmt für den Spruch, „The Buck stops here", der auf einem Schild auf seinem Schreibtisch stand; hier wird Verantwortung getragen und streng auf den Dollar geachtet. Bei Trump stoppt der Dollar nicht nur nicht an seinem Schreibtisch, er hüpft in Trumps Tasche, damit der ihn für eines seiner undurchsichtigen Geschäfte nutzen kann.

Ein Golfplatz in Montauk, der mondäne Urlaubsort von New York City auf Long Island. Drei Chirurgen schlagen leicht gelangweilt die Bälle über den Platz, und streiten sich dabei, wer von ihnen der beste Arzt ist.

Der erste sagt: „Ich bin ganz klar der beste Chirurg von ganz New York! Neulich hat ein Konzertpianist sieben Finger bei einem Jagdunfall verloren. Ich habe sie ihm wieder angenäht, und bereits nächste Woche gab er ein Konzert in der Carnegie Hall."

Daraufhin wirft der zweite ein: „Das ist doch gar nichts! Einer meiner Patienten ist von einem Auto überfahren worden und hat beide Beine verloren. Ich habe sie ihm wieder angenäht. Ein Jahr später konnte er schon im Central Park joggen, und zwei Jahre später hat er für die USA die Goldmedaille im Hundert-Meter-Sprint bei den Olympischen Spielen gewonnen."

Der dritte lächelt siegesgewiss, und sagt: „Ihr seid beide Anfänger! Vor ein paar Jahren ist ein Herrenreiter im völlig besoffenen Zustand durch die Hamptons geritten und wurde von der Long Island Railroad überfahren. Das einzige, was von ihm übrig blieb, war sein Arsch und die blonde Mähne seines Pferdes. Ich habe ihn operiert, und heute ist er Präsident der Vereinigten Staaten!"

Kurz nachdem Donald Trump als Präsident vereidigt wurde, macht er sich doch ein bisschen Gedanken, ob er dem Job gewachsen ist – insgeheim natürlich nur. Aber nur zur Sicherheit trifft er sich mit Barack Obama im Oval Office, um sich noch rasch ein paar Ratschläge zu holen.

„Weißt du, Barack", sagt er. „Ich habe viel vor: Ich will eine Mauer zu Mexiko, bauen, den Iran bombardieren, China totrüsten, deine Krankenkasse ObamaCare abschaffen und natürlich Amerika wieder groß machen. Natürlich kann ich das alles viel besser als du, weil ich das größte Gehirn aller Zeiten habe, aber eine Frage habe ich doch noch."

Obama, ein bisschen genervt, macht gute Miene zum bösen Spiel und fragt: „Na gut, was willst du denn wissen?"

„Also, Barack", sagt Trump, „offensichtlich umgibst du dich mit klugen Beratern, denn sonst wäre deine Präsidentschaft noch desaströser gewesen als sowieso. Nicht, dass ich deinen Rat brauche, aber nur aus Interesse, wie findest du die?"

Obama ist nun noch etwas genervter und er beschließt, Trump reinzulegen. Er ruft Joe Biden, seinen Vizepräsidenten herein. „Joe", sagt er. „Ich würde dir gerne eine kleine Kniffelfrage stellen."

„Klar, Barack", sagt Joe Biden.

„Hier, im Oval Office, befindet sich jemand, der ist der Sohn deiner Mutter. Wer ist das?" fragt Obama.

„Na, das bin ich, Barack!" sagt Biden.

Damit dreht sich Obama zu Trump und sagt: „Siehst du, daran merke ich, dass Joe Biden schlau ist!"

Trump ist beeindruckt und beschließt, das auszuprobieren. Zurück im Trump Tower, trifft er Reince Priebus, seinen Stabschef, ein altgedienter Republikaner. „Antworte mir, Reince", sagt er. „Jemand hier im Raum ist der Sohn deiner Mutter. Wer ist es"

Priebus wird nervös und sagt: „Da muss ich ein bisschen drüber nachdenken. Gib mir eine Stunde."

„Okay", sagt Trump. „Aber wenn ich eine falsche Antwort bekomme, wirst du gefeuert."

Priebus wird nun noch nervöser, und er fängt an, im Trump Tower herumzurennen, auf der Suche nach jemanden, der schlau genug ist, ihm zu helfen. Leider sind die einzigen Leute, die er trifft, Kabinettsmitglieder, aber nach einer guten halben Stunde sieht er Steve Bannon durch die Lobby laufen. Bannon, Trumps Chefstratege, ist sicher schlau genug, denkt Priebus. Er folgt Bannon und findet ihn in einem dunklen Raum, eine Flasche Whiskey neben sich, wie er in seinen Laptop hämmert. „Hallo Steve", sagt er. „Kann ich dich was fragen? Es ist wirklich wichtig für Trump."

Bannon sieht kurz auf und sagt, „Klar."

„Also, hier ist jemand im Raum, der ist der Sohn deiner Mutter. Wer ist das?"

„Das bin natürlich ich, du Depp", sagt Bannon.

Erleichtert fährt Priebus nach oben zu Trump, und die Stunde ist auch um. „Ich weiß die Antwort", sagt er. „Es ist Steve Bannon."

„Was?" sagt Trump. „Du bist gefeuert"

„Aber warum?" fragt Priebus.

„Das war die falsche Antwort, du Idiot. Die richtige Antwort ist Joe Biden."

Seit der Inauguration ist eine Woche vergangen. Barack Obama entschließt sich, Trump anzurufen, um zu sehen, wie es ihm ergeht. „Donald, du hast jetzt sicher gemerkt, dass es doch ein harter Job ist", sagt Obama. „Also, wenn du noch ein paar Ratschläge brauchst, lass es mich wissen."

Trump schluckt. „Also, ich bin natürlich ein viel besserer Präsident als du, deshalb brauche ich keine Ratschläge, schon gar nicht von dir", sagt er. „Aber eine kleine Frage habe ich schon noch. Es geht darum, mehr wie ein Präsident zu klingen."

„Aber natürlich", sagt Obama.

„Also, ich kann es immer noch kaum fassen, dass ich im Weißen Haus lebe", sagt Trump. „Aber warum kann ich es nicht ‚Trump House' nennen?"

„Weißt du, Donald", sagt Obama. „Jeder reiche Idiot kann seinen Namen in riesigen goldenen Buchstaben an irgendeinen Wolkenkratzer kleben. Aber du bist der einzige Mensch auf der ganzen Welt, der im Weißen Haus leben darf. Ist das nicht fantastisch und viel exklusiver als ‚Trump House'?"

„Na, da ist etwas dran", sagt Trump, halbwegs überzeugt. „Aber warum muss ich mein Flugzeug ‚Air Force One' nennen? Wäre ‚Trump Air' nicht viel spektakulärer?"

„Aber Donald", sagt Obama. „Erinnere dich mal an den Film ‚Air Force One', das war ein fantastischer Film, den jeder gesehen hat. Noch nie hat jemand einen Film gemacht, der ‚Trump Air' hieß."

„Na gut", sagt Trump. „Nun aber noch eine letzte Frage, das ist ein echtes Problem. Es geht um Melania. Ich kann einfach nicht ..."

„Du kannst einfach nicht, was, Donald?" fragt Obama.

„Wie kann ich Melania ernsthaft First Lady nennen?"

Inzwischen ist die Inauguration schon drei Monate her. Es ist später Nachmittag. Auf den Straßen von Washington herrscht dichter Verkehr. An der Pennsylvania Avenue sind die Autos im Stau steckengeblieben. Da hört einer der Autofahrer plötzlich, wie es an seine Fensterscheibe klopft. Er sieht auf und sieht einen dunkelhäutigen Mann mit Turban, in der einen Hand eine Kalaschnikow, in der anderen Hand einen Kanister, der ihm zuruft, das Fenster herunterzukurbeln. Zögerlich tut er es, und der Mann sagt:

„Allahu Akbar! Wir sind radikale Terroristen, und wir haben euren Präsidenten Trump entführt! Wir halten ihn in einem Keller gefangen und wir werden ihn verbrennen, es sei denn, ihr Amerikaner gebt uns eine Million Dollar."

„Eine Million Dollar?" fragt der Autofahrer. „Und die wollt ihr in einem Kanister einsammeln."

„Nein, den Kanister hat uns der erste Autofahrer gegeben, den wir gefragt haben", sagt der Terrorist.

„Und wie viel habt ihr seitdem eingesammelt?" fragt der Autofahrer.

„Allahu Akbar, ihr Amerikaner seid großzügig! Wir haben schon siebzig Liter Benzin bekommen!"

Trump ist zwar erst ein Jahr im Weißen Haus, aber er hat bereits seinen ersten Krieg angefangen, und zwar mit Kanada, um die Schlappe von 1812 wieder wettzumachen. Leider läuft es nicht so gut, wie er es erhofft hatte. Während sich beide Länder in heftige Kämpfe entlang der langen, langen Grenze verbissen haben, gucken Julius Caesar, Friedrich der Große und Napoleon vom Himmel aus zu.

„Also, ich weiß nicht, warum der Krieg so lange dauert"; sagt Caesar missbilligend. „Wenn ich damals solche Panzer gehabt hätte wie die U.S. Army heute, dann hätte ich ganz Germanien und ganz Gallien erobert. Eingeschlossen das letzte kleine Dorf."

Friedrich der Große nickt. „Wenn ich damals solche Kampfflugzeuge wie die Amerikaner gehabt hätte", sagt er. „Dann hätten die Sachsen und die Österreicher nichts zu Lachen gehabt. Dann hätte Preußen bis nach Venedig gereicht."

Daraufhin Napoleon trocken: „Wenn ich so jemanden wie Steve Bannon gehabt hätte, wüsste heute noch niemand von meiner Niederlage bei Waterloo".

Ein Pleitier, ein Internet-Troll und ein Narzisst betreten eine Bar. Der Barkeeper blickt auf und sagt, „Na, Donald, das übliche?"

Donald Trump hat sich angewöhnt, ab und zu durch Washington zu wandern und herauszufinden, was die Leute wirklich von ihm denken. Eines Abends sieht er einen älteren Afro-Amerikaner, der auf dem Bürgersteig liegt und stöhnt, eine Krücke neben sich. Offenbar ist der Mann gestürzt.

Eigentlich ist es nicht Trumps Angewohnheit, fremden Menschen zu helfen oder sie gar anzufassen, aber er überwindet sich, reicht dem Mann die Hand und zieht ihn hoch. Der Mann ist völlig überrascht, bedankt sich aber dann und will sich auf den Weg machen.

„Moment noch", sagt Trump. „Dafür müssen Sie mir aber versprechen, dass Sie mich beim nächsten Mal wählen."

„Mister Präsident", sagt der Mann. „Ich bin auf den Rücken gefallen, nicht auf den Kopf."

Und dann war noch dieser verschneite Januartag in Washington, DC, an dem es so kalt war, dass Trump seine Hände in seinen eigenen Taschen hatte …

Der Postillon

Ehrliche Nachrichten - unabhängig, schnell, seit 1845

Dienstag, 7. Februar 2017

Kampf gegen illegale Einwanderung: Trump will Indianer nach Indien abschieben

Washington (dpo) - Sie sollen wieder dahin zurück, wo sie hergekommen sind: Zur Stärkung der inneren Sicherheit und zur Bekämpfung von illegaler Einwanderung will US-Präsident Donald Trump rund drei Millionen Indianer nach Indien abschieben lassen. Ein entsprechendes Dekret soll noch in dieser Woche unterzeichnet werden.

In einem Gespräch mit dem Fernsehsender Fox News bezeichnete Trump die in den USA lebenden Indianer als gesetzlose Krieger, die in der Vergangenheit immer wieder US-Amerikaner angegriffen und getötet hätten: "Das habe ich in diversen TV-Dokumentationen gesehen. Schreckliche Angriffe auf gute Amerikaner mit Beilen oder mit Pfeil und Bogen. Man kann Indianern nicht trauen."

Nach Rücksprache mit den zuständigen Ministern habe Trump erfahren, dass die meisten Indianer über keine ordnungsgemäßen Einwanderungspapiere verfügen. "Das bedeutet, sie sind illegal hier. Ich musste handeln."

Auch auf Twitter äußerte sich Trump kritisch über Indianer.

Wie das Weiße Haus mitteilte, soll den Indianern eine Frist von drei Monaten gesetzt werden, innerhalb derer sie das Land verlassen müssen.

Für die Flugkosten soll im Zweifelsfall Indien aufkommen.

 Donald J. Trump
@realDonaldTrump

I want those Indians back in India ASAP. Delicious food, love korma, but dangerous people with bows and arrows. Get smart US. #illegalsOUT

9:18 AM - 7 Feb2017

 ↻ 9,893  ♥ 12,567

 Donald J. Trump
@realDonaldTrump

Indians think they can come to US, smoke pipes and take away our land. NO CHANCE! I say send them back to India! #illegalsOUT

9:23 AM - 7 Feb2017

 ↻ 10,067 ♥ 16,301

Ein Kongressabgeordneter betritt eine Bar im Washingtoner Regierungsviertel. Als er sich umsieht, erkennt er an einem Tisch, halb verborgen hinter einer Säule, Präsident Donald Trump und dessen Vizepräsidenten, Mike Pence. Tief beeindruckt geht er zu beiden hinüber und sagt: „Es ist eine Ehre, Sie zu sehen, Mister Präsident und Mister Vizepräsident. Verzeihen Sie, aber darf ich fragen, was Sie gerade besprechen?"

„Aber sicher", sagt Trump, der nichts lieber tut als erzählen, was er so vorhat. „Wir planen den Dritten Weltkrieg."

Der Abgeordnete erschrickt ein bisschen und fragt, „Wie denn?"

Trump erläutert: „Wir wollen 150 Millionen Moslems umbringen, und eine Blonde mit dicken Titten."

Der Mann, nun richtig irritiert, sagt: „Warum denn eine Blonde mit dicken Titten?"

Daraufhin dreht sich Trump zu Pence und meint, „Siehst du, ich hab's dir ja gesagt. Niemand interessiert sich für die Moslems."

Donald Trump trifft sich mit dem Papst zu einem Gespräch am Toten Meer. Natürlich ist die Weltpresse dabei, darunter auch die New York Times. Als sich die beiden Würdenträger zusammen am Ufer die Beine vertreten, kommt plötzlich ein gewaltiger Windstoß auf und der Papst wird ins Tote Meer gerissen. Bevor sich die entsetzten Leibwächter rühren können, läuft Trump über das (schwer salzige) Wasser zum Papst und zieht den wieder ans Ufer. Er ist gerettet.

Die Schlagzeile in der New York Times am nächsten Morgen: „Trump kann nicht schwimmen!"

Donald Trump besucht eines Tages eine Grundschule im Mittleren Westen. Als Trump den Klassenraum betritt, ist gerade Englisch-Unterricht. In der Unterrichtsstunde sprechen die Kinder über Worte und was sie bedeuten.

Der Lehrer fragt den Präsidenten natürlich, ob der übernehmen möchte. Trump nickt, und wirft erst einmal einen Blick auf den Spickzettel. Da steht „Tragödie". Er fragt also die Klasse, was eine Tragödie ist.

Ein Junge meldet sich und sagt: „Wenn mein bester Freund, der auf einer Farm lebt, auf einem Acker spielt und dabei von einem Traktor überfahren wird, das ist eine Tragödie."

„Nicht ganz", sagt Trump. „Das ist eher ein Unfall".

Nun meldet sich ein Mädchen und sagt, „Wenn ein Schulbus über eine Klippe fährt und alle Kinder, die drinnen sitzen, sind tot, das wäre eine Tragödie."

„Schon besser", sagt Trump. „Aber auch noch nicht so ganz richtig. Das wäre eher ein furchtbarer Verlust."

Nun traut sich keines der Kinder mehr, sich zu melden. Trump guckt sich um und fragt dann, „Gibt es denn hier keinen, der mir ein Beispiel von einer Tragödie geben kann?"

Da hebt ganz hinten im Klassenzimmer ein Junge die Hand und sagt: „Wenn die Airforce One mit Ihnen an Bord von einer Drohne getroffen würde, die überraschend aus dem Nichts kommt, und abstürzt, das wäre eine Tragödie."

„Sehr gut", sagt Trump. „Genau richtig. Und warum wäre das eine Tragödie?"

„Weil das hundertprozentig kein furchtbarer Verlust wäre", sagt der Junge. „Und wahrscheinlich auch kein Unfall."

Washington, DC, tief verschneit und mitten im Winter. Trump ist seit zwei Jahren Präsident. Eines Morgens tritt er aus seinem Haus, wirft von seiner Terrasse aus einen Blick auf den verschneiten Vorgarten und sieht zu seinem Entsetzen, dass dort „Donald Trump ist doof" mit, offensichtlich, Urin in den Schnee geschrieben ist.

Wütend stürmt er ins Weiße Haus zurück und ruft seinen Sicherheitsstab zusammen. „Irgendwer hat diese Beleidigung in den Schnee gepinkelt", ruft er. „Das muss jemand gewesen sein, der auf meiner Terrasse stand. Warum habt ihr das nicht gesehen?"

Den Männern vom Sicherheitsstab ist das natürlich sehr peinlich und sie gucken betreten zu Boden. „Steht hier nicht rum", sagt Trump. „Schwärmt aus und findet heraus, wer es war, und zwar heute noch! Ich will, dass keine Kosten und Mühen gescheut werden!"

Sofort stiebt der ganze Sicherheitsstab auseinander. Kurz bevor es dunkel wird, kommt der Stabschef zu Trump zurück und sagt: „Mister Präsident, wir haben gute Neuigkeiten, schlechte Neuigkeiten, und ganz schlechte Neuigkeiten."

„Geben Sie mir die guten Neuigkeiten zuerst", verlangt Trump.

„Die gute Neuigkeit ist, dass wir wissen, wer es war", sagt der Stabschef.

„Gott sei Dank", sagt Trump. „Und die schlechte?"

„Die schlechte ist: Wir haben festgestellt, das war der Urin von Senator Ted Cruz", sagt der Stabschef.

„Was!" sagt Trump. „Ich habe diesem Burschen noch nie getraut. Und was die ganz schlechte Nachricht?"

„Die ganz schlechte ist, das ist die Handschrift Ihrer Frau Melania."

Eine Schule in Texas. Der Lehrer fragt die Schüler der achten Klasse, wer von ihnen ein Trump-Fan sei. Und natürlich, es ist Texas, und die Kinder wollen außerdem dem Lehrer gefallen. Und so heben alle die Hand. Außer dem kleinen Jimmy.

Der Lehrer fragt Jimmy, warum er aus der Reihe tanzt ... schon wieder!

„Weil ich kein Trump-Fan bin", sagt Jimmy.

Der Lehrer runzelt die Stirn und fragt: „Und was hast du gegen Trump? Warum bist du kein Fan?"

„Weil", sagt Jimmy, „ich ein Demokrat bin."

Der Lehrer ist nun noch ungehaltener. „Und warum bist du ein Demokrat?"

„Meine Mutter ist Demokratin und mein Vater ist Demokrat", sagt Jimmy. „Deshalb bin auch ich ein Demokrat".

„Soso", sagt der Lehrer. „Also, wenn deine Mutter ein Dummkopf wäre, und dein Vater ein Dummkopf, was wärst du dann?"

„Dann", sagt Jimmy und grinst über das ganze Gesicht, „wäre ich ein Trump-Fan."

Der Präsident ruft Angela Merkels Büro in Berlin an. Die Sekretärin hebt ab.

„Donald Trump hier. Was ist der Zeitunterschied zwischen Washington und Berlin?"

Die Sekretärin: „Eine Sekunde, Mister Präsident ..."

Trump: „Danke." <klick>

Die Präsidentenbibliothek von Trump ist abgebrannt. Das ist wirklich schade; sie hatte zwar nur zwei Bücher, aber das eine war die Originalausgabe von Mein Kampf, und das andere hatte er gerade fertig ausgemalt.

3

Spitznamen für El Trumpo

Was Schottland von Trump hält

"Buttplug Face"

"Cockwomble"

"Apricot hellbeast"

"Toupetd fucktrumpet"

"Witless fucking cocksplat"

"Incompressible jizztrumpet"

"Ignorant fuckmuppet"

und

"Tiny fingered Cheeto-faced Ferret-wearing shitgibbon"

Trumpzilla

45	(weil er der 45. Präsident ist)
SCROTUS	(So-Called Ruler Of The United States)
Orange Anti-Christ	(Wegen der Gesichtsfarbe)
Orange Overlord	
Agent Orange	
Kim Jong Orange	
Fanta Faschist	
Mandarinen-Mugabe	
Mango Mussolini	
Tangerine Tornado	
Fuckface von Clownstick	(das ist von Jon Stewart)
Trumpelstilzchen	
Lord Tax-eVader	(weil er taxes evaded, keine Steuern zahlt)
Darth Hater	(er findet deinen Mangel an Glauben beklagenswert)
Darth Orange	
Jabba der Hunne	(Melania würde im goldenen Bikini ganz sicher toll aussehen)

Der Trumpinator   (Arnie lässt grüßen)

Donald Drumpf   (sein echter Name)

Donald Drumpfkopf

El Donaldo

Ducky MacTrump

Sir Spam-A-Lot

Vanilla ISIS   (erinnert sich noch wer
                                                an den Rapper Vanilla Ice?)

Dirty Don   (.... beim Dirty Dancing)

DDT

Babyfinger

Goldfingler

Fetter Elvis

Wicked Witch from the West Wing   (Von dem Wizard of Oz und
                                                der Fernsehserie West Wing)

White House Apprentice   (nach Trumps TV-Show)

Celebrity Presidential Apprentice   (ditto)

Trumpeter

Trumpenstein

Primadonald

Dschingis Can't   (Yes, we Khan!)

Habanero Hitler   (Habaneros sind
                                         orangefarbene Pepperoni)

Kurzfingriger Vulgärer   (schreibt das Blatt Vanity Fair)

Bumbledore   (von „to bumble", wichtigtuen)

Mr. Bigly   (nach Mr. Big in
                                         „Sex and the City")

Siebzigjähriges Baby

Putins Puppe

Genosse Trumputin

Petruschka

Putineska

Sunkist Stalin

Weißer Russe

Kandy Korn Kremlin   (Candy Corns sind orangene
                                         Bonbons zu Halloween)

Humpty Trumpty   (Das Große Ei)

Der Große Trumpkin   (Charlie Brown lässt grüßen)

Nationalistisches Nebelhorn

Satan Spice   (das zickigste der Spice-Girls)

Warnlabel am Sonnenbett

Der Kaiser von Amerika

Richard Nixon mit Toupet

Cheetolini   (Cheetos sind orangefarbene
                                    Snacks mit Käsegeschmack)
Cheeto Benito

Casino Mussolini

Il Douche   (nach Douchebag; Nervbeutel)

Berlusconi-Imitator

Cheeto Voldemort

He Who shall Not Be Named   (das ist auch Voldemort)

He Who Did Not Win the Popular Vote
                                    (Der, der nicht die meisten
                                    Stimmen bekommen hat)

Karottendämon

Donald Tinyhands   (... sind so kleine Hände...)

Emperor Cheeto of Tinyhandland

President Evil   (nicht von Paul Anderson)

Forrest Trump   (Trumps Leben ist wie eine
                                    Pralinenschachtel)

Der weiße Kanye   (nach Kanye West)

Puffed Up Daddy   (nach Puff Daddy alias
                                    P. Diddy alias Sean Combs)

Präsident Schneeflocke   (weil er so empfindlich ist)

Mad Hombre   (statt: Bad Hombre)

Präsident Bannons Assistent   (Der eigentliche Herrscher
                                          im Weißen Haus)
Captain Un-America

Captain Chaos

Bizzaro Bozo   (Bozo, der traurige Clown)

Blitzkrieg Bozo

Krusty the Killer Klown   (nicht der aus den Simpsons)

Bratman   (Brat, unerzogenes Kind)

Die Hindenburg-Explosion

Mein Trumpf

Nacho Nazi   (Nachos sind Kornchips
                                          mit Käse)

Zimthitler

Hair Führer

Hair Gropenfuhrer

Twitler

Und zu guter Letzt:
Der Donald und deine Mudda

— Deine Mudda ist weißer als Donald
Trump in einem Schneesturm

— Deine Mudda ist so hässlich, dass Donald
Trump ihr das Internet weggenommen hat

— Deine Mudda ist so dumm, dass sie glaubt,
das Haar von Donald Trump ist echt.

— Deine Mudda ist so blind, dass sie Trump-Krawatten trägt.

— Deine Mudda ist so alt, dass sie sich noch erinnern
kann, wie Donald Trump echtes Haar hatte.

— Deine Mudda ist so dick, als sie einmal in Alaska war, hat
Sarah Palin versucht, sie vom Hubschrauber aus zu erschießen.

—Deine Mudda ist so blöd, dass sie sich an
der Trump University verbessert hat.

— Deine Mudda ist so haarig, dass Donald
Trump sie als Toupet verwendet.

— Deine Mudda ist so arm, dass Donald
Trump ihr einen Dollar geschenkt hat.

— Deine Mudda ist so fett, Donald Trump
benutzt sie als Grenzmauer.

4

Mexiko
und
andere
böse Länder

Breaking News:
Mexiko hat sich bereit erklärt, für
die Grenzmauer zu bezahlen.

Die Bauarbeiten beginnen morgen früh.

Als Donald Trump, Angela Merkel und Enrique Nieto, der Präsident von Mexico, nach einer Konferenz in Davos zusammen an der Hotelbar sitzen, blitzt es plötzlich auf, und es erscheint eine wunderschöne Fee. Die Fee lächelt, winkt mit ihrem Zauberstab und sagt. „Ihr seid so großartige Staatenlenker, jeder von euch hat einen Wunsch frei!"

Angela Merkel überlegt nicht lange und sagt, „Ich wünsche mir, dass Horst Seehofer nach Amerika auswandert!"

„Das sei dir erfüllt", sagt die Fee, winkt mit dem Zauberstab, und Seehofer findet sich in Washington wieder.

Nun ist Trump dran. „Ich will, dass um ganz Amerika herum eine hohe, vollkommen sichere Mauer entsteht, nicht nur zu Mexiko, sondern auch zu Kanada, und sie soll auch noch die Seewege abriegeln. Niemand soll durchkommen."

Die Fee hebt wieder der Zauberstab und der Wunsch ist erfüllt.

Nieto ist nicht ganz so schnell. „Erklär mir doch noch einmal, wie hoch und dicht diese Mauer ist", fragt er die Fee.

„Die Mauer ist hundert Meter hoch, zehn Meter breit, und sie umschließt die ganzen Vereinigten Staaten vollständig. Nichts kann hinein, oder hinaus", sagt die Fee.

Nieto grinst. „Fülle sie mit Wasser."

Ein Doktor aus Mexiko kommt nach Amerika, natürlich illegal, und er macht eine Praxis in New York auf. Da er keine Arbeitsgenehmigung hat, kann er nicht inserieren, aber er hängt ein Schild draußen vor die Tür. „Wir heilen jede Krankheit für nur 50 Dollar. Wenn es uns nicht gelingt, zahlen wir Ihnen 100 Dollar."

Zufällig kommt Donald Trump vorbei, und er ärgert sich natürlich darüber, dass sich die Mexikaner in New York so breit machen. Er will es dem Doktor zeigen und betritt die Praxis. „Ich habe meinen Geschmackssinn verloren", sagt er. „Ich kann überhaupt nichts mehr schmecken. Können Sie mich heilen?"

Der Doktor ruft seine Assistentin. „Bring mir die Arznei oben rechts im Medizinschränkchen", sagt er. Dann bittet er Trump, seine Zunge herauszustrecken und er tröpfelt ein paar gelbe Tropfen aus der braunen Flasche auf die Zunge des Präsidenten.

„Iih", sagt Trump. „Das ist ekelig, das schmeckt wie Pisse."

„Sehr gut, Sie sind geheilt", sagt der Doktor. „Das kostet 50 Dollar."

Trump ist natürlich sauer. Und so kommt er am nächsten Tag zurück, um es nochmal zu versuchen. „Ich scheine mein Gedächtnis verloren zu haben", sagt er zum Doktor. „Ich kann mich an überhaupt nichts mehr erinnern."

„Kein Problem", sagt der Doktor und wendet sich an seine Assistentin, „Bringen Sie mit das Fläschchen oben links."

Wieder tropft er ein paar gelbe Tropfen auf Trumps Zunge, und wieder schüttelt der sich vor Ekel. „Das ist die gleiche Pisse wie gestern", beschwert er sich.

„Ah, gut, Sie sind geheilt", sagt der Doktor. „Das macht noch einmal 50 Dollar."

Nun ist Trump wirklich sauer, aber er will nicht aufgeben.
Am nächsten Tag kommt er wieder in die Praxis und sagt:
„Ich kann plötzlich überhaupt nichts mehr sehen! Mein
Augenlicht ist völlig verschwunden! Helfen Sie mir!"

Wieder tröpfelt ihm der Doktor die Pisse auf der
Zunge, aber diesmal hat Trump gelernt und sagt
nichts. Der Doktor sagt; „Tut mir leid, Mister Präsident,
offenbar kann ich diese Krankheit nicht heilen."

Trump freut sich und streckt die Hand nach seinen 100 Dollar
aus, aber der Doktor gibt ihm nur einen 10-Dollar-Schein
und sagt, „Hier ist die Rückzahlung, wie versprochen."

Trump wirft dem Doktor empört den Schein vor die Füße. „Das
sind nur 10 Dollar, nicht 100, du mexikanischer Bastard!" brüllt er.

„Sehr gut", sagt der Doktor. „Sie können wieder sehen. Sie
sind geheilt. Sie schulden mir noch einmal 50 Dollar."

Eine Schule in einem Städtchen in Amerika. Es ist Freitagnachmittag. Der Lehrer stellt eine Frage an die ganze Klasse. „Also, wenn einer von euch mir sagen kann, von wem das folgende Zitat stammt, der hat am Montag frei und braucht nicht zu kommen."

Die Klasse schaut ihn gespannt an, und der Lehrer sagt: „Das einzige, was wir zu fürchten haben, ist die Furcht selbst."

Eine Hand schießt hoch und der kleine Billy Nguyen sagt: „Das ist von Franklin Delano Roosevelt".

„Das ist richtig, Billy", sagt der Lehrer. „Du hast am Montag frei."

Billy schüttelt den Kopf. „Wir sind Vietnamesen", sagt er. „Für uns ist Bildung sehr wichtig. Ich werde am Montag kommen."

Der Lehrer nickt, und beschließt, einem zweiten Schüler eine Chance zu geben. „Wer hat gesagt: Frage nicht, was dein Land für dich tun kann, frage, was du für dein Land tun kannst?"

Wieder schießt eine Hand hoch, diesmal ist es Wendy Cho. „John F. Kennedy", sagt sie.

„Korrekt", sagt der Lehrer. „Viel Spaß an deinem freien Montag."

Auch Wendy schüttelt den Kopf. „Wir sind Chinesen, für uns ist Bildung ebenfalls sehr wichtig. Ich werde Montag früh hier sein."

„Diese bescheuerten Immigranten", sagt eine Stimme von ganz hinten.

Der Lehrer guckt streng hoch. „Wer hat das gesagt", verlangt er.

„Donald Trump", sagt der kleine Johnny und grinst. „Wir sehen uns Dienstag."

Warum hat es Trump schon in der ersten Woche geschafft, mit der illegalen Immigration aufzuräumen?

— Wer will jetzt schon noch kommen?

Woher wissen wir, dass Trump ein heimlicher Moslem ist?

— Er hat drei Frauen und trinkt keinen Alkohol

Warum kann Trump das australische Outback nicht ausstehen?

— Er hat diese Nase voll davon, davon aufzuwachen, dass Wombats Sex mit seinem Haar haben.

Der Postillon

Ehrliche Nachrichten - unabhängig, schnell, seit 1845

Freitag, 31. Januar 2017

"Börder Wåll": IKEA bietet Trump günstige Lösung für Mauer an

Washington (dpo) - "Zu teuer!", "Zu aufwändig!",
"Nicht realisierbar!" – Mit derartiger Kritik sieht sich
US-Präsident Donald Trump derzeit im Zusammenhang
mit der geplanten Mauer an der Grenze zu Mexiko
konfrontiert. Ein Angebot des Einrichtungskonzerns
IKEA könnte nun all diese Probleme mit einem Schlag
lösen.

Der skandinavische Möbelbauer hat den USA mit
"Börder Wåll" eine praktische Fertiglösung angeboten,
die nur noch mit einem Kombi von der nächstgelegenen
IKEA-Filiale abgeholt und am gewünschten Ort
montiert werden müsste. Mit einem Gesamtpreis
von 9.999.999.999,99 US-Dollar ist "Börder Wåll"
erheblich günstiger als eine herkömmliche Mauer, die
Schätzungen zufolge 15 bis 25 Milliarden Dollar kosten
würde.

Laut Regierungssprecher Sean Spicer prüft Präsident
Trump das Angebot derzeit.

Die in schlichtem skandinavischen Design gehaltene Grenzmauer (5 Jahre Garantie) besteht hauptsächlich aus Pressspan mit Birkenoptik und kann mithilfe eines Inbusschlüssels zusammengebaut werden. Eine 12.000-seitige Anleitung mit leicht verständlichen Piktogrammen macht dabei den Aufbau zum Kinderspiel – sofern nicht eine einzelne Schraube fehlt.

"Man sollte beim Aufbau allerdings zu zweit sein, damit eine Person jeweils die Mauer halten kann, während die zweite schraubt", heißt es in dem Angebot von IKEA. In der Grundkonfiguration ist die Mauer 10 Meter hoch und 3144 Kilometer lang, kann jedoch in Höhe und Breite nach Belieben erweitert werden.

IKEA hat bereits angekündigt, in den nächsten Wochen weitere Produkte zu entwerfen, mit denen sich "Börder Wåll" ergänzen lässt. Insidern zufolge handelt es sich dabei beispielsweise um den Wachturm "Glötz" oder die Selbstschussanlage "Råtåtåtåtå".

fed, ssi, dan

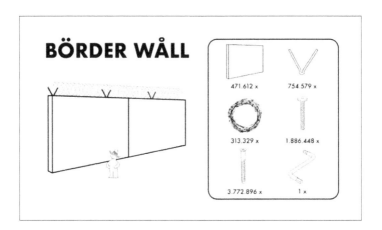

BÖRDER WÅLL

471.612 x

754.579 x

313.329 x

1.886.448 x

3.772.896 x

1 x

Der Präsident ist nun seit zwei Jahren im Weißen Haus. Die Mauer zu Mexiko ist zwar noch nicht gebaut, aber Soldaten patrouillieren an der Grenze. Eines Tages begleitet Trump sie aus PR-Gründen, und da sieht er einen dunkelhäutigen Mann, der versucht, sich in die Büsche zu verdrücken. Trump hechtet natürlich sofort hinterher, greift sich den Mann, zerrt ihn hinter den Büschen hervor, und sagt: „Das war's, Freundchen. Du hast das Gesetz gebrochen, du gehst jetzt gleich nach Mexiko zurück."

„Bitte, bitte, Señor", ruft der Mann. „Zeigen Sie Mitleid! Ich gehöre in die USA, ich will hier bleiben!"

Trump überlegt einen Moment und denkt dann, na gut, aber ich mache es wirklich schwer für ihn. „Okay, du kannst bleiben, aber du musst einen grammatikalisch richtigen englischen Satz sagen, in dem drei Worte vorkommen, und zwar grün, gelb, und rot."

Der Mexikaner denkt kurz nach und sagt dann, „Das Telefon macht grin, grin, grin, ich gelbe hoch, und sage, Rot-riguez."

Trump, total verärgert. „Diese blöden mexikanischen Englischlehrer, die uns Weißen die Jobs wegnehmen!"

Trump hält eine Kundgebung in einer Kleinstadt in Texas, nahe der mexikanischen Grenze. Die ganze Stadt ist gekommen, den Präsidenten zu sehen, und alle jubeln. Fast alle.

Trump schüttelt überall Hände, und ein paar Frauen geben ihm Blumen. Zwischen ihnen steht ein kleines Mädchen, sichtlich mexikanischen Ursprungs, das Trump schüchtern ein Büschel Gras hoch reicht.

Trump, total irritiert, fragt: „Was soll denn das sein? Was soll ich denn damit?"

„Meine Eltern sagen", antwortet die Kleine, „Wenn Trump ins Gras beißt, dann kommen bessere Zeiten!"

Phoenix, Arizona, Trump hält eine Rally ab. Ein kleiner Junge aus Mexiko sieht ihn und sagt zu ihm: „Eines Tages möchte ich auch Präsident sein!"

Daraufhin Trump, unwirsch: „Bist du dumm? Bist du ein Idiot? Bist du total gaga?"

Der Junge zögert und sagt dann: „Ich glaube, ich habe meine Meinung geändert. Das sind zu viele Anforderungen."

Auf seinem üblichen, verlängerten Wochenendurlaub in New York läuft Donald Trump die Fifth Avenue entlang und sieht, dass sich um den Trump Tower herum unglaublich viele Tauben gesammelt haben. Er bestellt den Manager zu sich, und der gesteht, dass sie alles versucht haben, aber die Tauben gehen einfach nicht weg. Das einzige, was noch bleibe, sei der mysteriöse Taubenwürger, den er auf Craigslist gefunden habe, einer Internetseite für Alles.

„Na gut", sagt Trump, „Dann probieren wir den mal aus."

Am nächsten Wochenende, als Trump wieder in New York ist, kreuzt der Taubenwürger mit einer großen braunen Tüte am Trump Tower auf. Er öffnet die Tüte, und eine goldfarbene Taube fliegt heraus. Die goldene Taube fliegt um den Trump Tower herum, und alle anderen Tauben erheben sich ebenfalls in die Lüfte und folgen ihr. Nachdem sich alle hinter ihr aufgereiht haben, fliegt die goldene Taube zum Central Park. Dort taucht sie in dem großen See am Bootshaus und die anderen Tauben tauchen ihr nach. Natürlich ertrinken sie alle. Nach einer Viertelstunde taucht die goldene Taube aus dem Wasser wieder auf, unversehrt, dreht eine Runde und fliegt wieder in die braune Papiertüte des Taubenwürgers zurück.

„Das ist ja super", sagt Trump, der gespannt zugesehen hat. Dann wendet er sich an den Taubenwürger. „Sie haben nicht zufällig einen goldenen Mexikaner in einer Papiertüte, oder?"

Ein paar Wochenenden später spaziert Donald Trump wieder einmal durch New York. Da sieht er vor einem großen Gebäude eine lange Schlange. Er wundert sich, was das soll, und stellt sich erst einmal an.

Die Leute, die vor ihm stehen, blicken über ihre Schulter zurück, und jeder, der Trump erblickt, verlässt sofort die Schlange. Und so kommt er ziemlich rasch an den Anfang. Als er schon fast an der Eingangstür ist, frag er schließlich doch einen Mann vor ihm, der auch gerade gehen will: „Warten Sie mal, wofür ist diese Schlange, und warum gehen Sie alle so plötzlich, nachdem Sie so lange gewartet haben?"

„Das ist die Schlange vor dem kanadischen Konsulat", sagt der Mann. „Wir stehen hier für Immigrationsvisa an. Aber nachdem Sie auch hier anstehen, brauchen wir keines mehr."

Trump wurde einmal gefragt, ob er einen Vers aus der Bibel zitieren könne. „Natürlich", sagte er. „Gebt einem Mann einen Fisch, und er wird für einen Tag zu essen haben. Deportiert ihn, und ihr braucht ihm nie wieder was zu Essen zu geben."

Ein Flugzeug fliegt hoch über den Prärien des Mittleren Westens. An Bord sind ein Moslem, ein Mexikaner und Donald Trump.

Plötzlich fängt das Flugzeug an zu stottern – das Benzin geht aus. „Schnell", ruft der Pilot. „Wir müssen Gewicht abwerfen!"

Der Mexikaner hat eine schwere Tasche voller Wassermelonen dabei, die wirft er aus der Luke. „Keine Sorge", sagt er. „Davon haben wir bei uns genug."

Aber das reicht nicht. Nun öffnet der Moslem sein Gepäck, er hat einen schweren Teppich dabei. Der wirft er aus dem Flugzeug. „Kein Problem", sagt er. „Davon haben wir genug."

Nun ist Donald Trump dran, und er wirft den Moslem und den Mexikaner aus dem Flugzeug. „Prima", sagt er. „Von denen haben wir bei uns genug."

El Chapo, der berüchtigte mexikanische Bandenboss, hat hundert Millionen Dollar für Trump geboten, tot oder lebendig. Das beantwortet wohl die Frage, wieviel Geld Trump wirklich wert ist.

5

Fragen, Fragen ...

Die Welt nach Donald Trump

Mein Feind
Ted Cruz

Meine
Golfplätze

Meine Theresa

Mein Vladimir
Mein Hotel

Mein größtes
Amerika!

Meine Frauen

Mein Casino

Mein Ho-
tel (bald)

Meine Bad
Hombres

ISIS

Mein Taj
Mahal

Mein
Ferien-
ressort

Obamas
Heimat

Arnies
Heimat

Wie dreht Donald Trump eine Glühbirne ein?
— Er hält sie hoch und wartet, bis
sich die Welt um ihn dreht.

Wie viele Trump-Unterstützer sind nötig, um
eine Glühbirne einzuschrauben?

— Drei. Einer der die Birne eindreht, und zwei, die jeden
verprügeln, der schwul oder mexikanisch aussieht.

Wie viele Unterstützer von Donald Trump braucht
es, um eine Glühbirne auszuwechseln?

— Wir können diese Glühbirne auswechseln. Ich versichere euch,
wir können das. Wir wechseln sie aus, okay? Ich verstehe, was du
meinst, ich höre das dauernd. Leute rufen mich an und sagen,
„Ist die Glühbirne wirklich kaputt?" Wirklich, es ist unglaublich,
das fragen sie mich. Es ist ein großes Problem mit der Glühbirne.
Aber wir werden das ändern. Das verspreche ich. Glaubt mir.

Wenn ein Boot mit Donald Trump, Vizepräsident
Mike Pence und Chefberater Steve Bannon auf dem
Mississippi kentern würde, wer würde überleben?

— Amerika

Warum hat Trump heimlich darauf gehofft,
dass er die Wahl doch verliert?

— Weil er nun in ein kleineres, älteres Haus in einer
schwarzen Nachbarschaft ziehen muss.

Warum kann Trump kein Lennister sein (vom Haus
der Lennister aus der Serie *Game of Thrones*)?

— Weil ein Lennister immer seine Schulden bezahlt.

Was ist Trumps liebstes Weihnachtslied?

— „I'm dreaming of a white Christmas"

Was ist der Unterschied zwischen Trump und dem Lieben Gott?

— Der Liebe Gott glaubt nicht, er sei Trump.

Was ist Trumps Gegenmittel für die Globale Erwärmung?

— Ein nuklearer Winter.

Woher wissen wir, dass Trump nicht lange Präsident bleiben wird?

— Er verlässt Amerika garantiert bald für
ein jüngeres und schöneres Land.

Warum mag Trump den Film-Außerirdischen E. T.
lieber als jeden realen Immigranten in Amerika?

— Weil E.T. wieder nach Hause zurück möchte.

Was haben Trump und ein Pornostar gemeinsam?

— Beide sind Experten darin, ihre Positionen vor
der Kamera blitzschnell zu verändern.

Warum wird es niemals eine Trump-Briefmarke geben?

— Weil die Leute immer auf die falsche Seite spucken würden.

Warum hat Trump ein Loch in seinem Hinterkopf?

— Er war mit Dick Cheney auf der Eichhörnchen-Jagd.

Warum hat Trump den Spitznamen „The Donald"?

— Weil „egoistisches, prahlerisches, großmäuliges, betrügerisches, lautes, rachsüchtiges, nachtragendes Arschloch" nicht auf die Visitenkarte gepasst hätte.

Wie schafft es Trump, in seinem Alter noch eine Erektion zu haben?

— Er schließt beim Sex mit einem Supermodel die Augen und stellt sich vor, dass er masturbiert.

Was ist der Unterschied zwischen Trump und einem Tumor?

— Ein Tumor kann manchmal auch gutartig sein.

Was ist der Unterschied zwischen Trump und einem Faultier?

— Ein Faultier hat ein dickes Fell.

Was macht Donald Trump nach dem Ende seiner Präsidentschaft?

— Er spielt die Hauptrolle in einem Remake von Hamlet. Der Titel des Films ist „Toupet or not Toupet?"

Warum lebt Donald im Trump Tower auf drei Stockwerken?

– Ein Stockwerk ist für ihn und seine Frau, eines für sein Haar, und eines für sein Ego.

Gibt es wirklich einen Unterschied zwischen Donald Trump und einem Verkehrskegel? Immerhin sind beide orange, beide hohl, beide aus Plastik und beide zeigen an, dass ein Unfall passiert ist.

— Doch. Die meisten Leute würden um einen Verkehrskegel herumfahren.

Und nun: Echte Tweets von einem verärgerten Bediensteten im Weißen Haus ...

 White House staffer AngryWHStaffer · Feb 25

The President gets a pedicure and manicure once a week in the Oval Office. We have "his girl" from NYC flown in. It's so expensive.

„Der Präsident bekommt eine Pediküre und eine Maniküre einmal in der Woche im Oval Office. Wir lassen „seine Mädchen" aus New York einfliegen. Es ist wirklich teuer."

 White House staffer AngryWHStaffer · 1d

Bannon is scary mad at George W. Bush. At a meeting today he called him "That inbred c**ksucking globalist piece of shit."

„(Steve) Bannon ist so wütend auf George W. Bush, dass es zum Fürchten ist. Heute bei einem Treffen nannte er ihn, ‚Dieses inzüchtige, S-lutschende, globalistisches Stück Scheiße'".

„Habt ihr schonmal den Film *Der Untergang* gesehen? Ganz genauso ist es hier seit Tag Eins."

„Der Präsident erzählt immer noch jedem, dass er „diesen Job hasst". Er sagt, er hätte niemals kandidieren sollen."

„Die NSA hat ganz Recht, Informationen vor dem Weißen Haus zu verstecken. Ich bin sicher, dass hier irgendwo ein russischer Maulwurf ist."

Welches College war am besten für Trump,
aber am schlechtesten für Amerika?

> — Das Electoral College (das Wahlmännergremium,
> das die Wahl entscheidet.

Was macht Trump bei seinem ersten Thanksgiving
im November 2017 im Weißen Haus?

> — Er befiehlt, dass die beiden Truthähne, die Obama
> 2016 begnadigt hat, exekutiert werden.

Hast du dich jemals gewundert, warum ausgerechnet
Trump der Präsident der USA wurde und nicht ein anderer
Vorstandsvorsitzender eines Konzerns, wie etwa Elon Musk von
Tesla, Tim Cook von Apple oder Erik Schmidt von Google?

> — Andere Konzerne brauchen ihre Vorstandsvorsitzenden.

Was macht Trump mit den Atombomben der Vereinigten
Staaten, wenn er sie nicht mehr braucht?

> — Feuern.

Warum beseitigt die Stadtverwaltung in Los Angeles
nicht das Hakenkreuz, das über den Stern von Donald
Trump am Hollywood Boulevard gesprüht ist?

> — Weil sie nicht wissen, ob es von einem Feind oder Fan ist.

Warum überquerte Donald Trump die Straße?

> — Um ein Hochhaus, zwei Casinos und drei Hotels zu bauen.

Was das Nervigste daran, mit Donald Trump Golf zu spielen?

> — Man muss 172 Mal sagen; großartiger Schlag, Mister Präsident.

Warum glaubt Donald Trump nicht an die Schwulenhochzeit?

— Weil die einzige Hochzeit, an die glaubt, die Hochzeit zwischen einem reichen Mann und einer schönen Frau ist.

Warum hat Trump am liebsten Sex mit Jungfrauen?

— Er hört sich ungerne Kritik an.

Warum hat Donald Trumps neue Erziehungsministerin schon am ersten Tag Millionenkosten in den Schulen verursacht?

— Sie hat angeordnet, dass alle Globen, die im Unterricht verwendet werden, flachgeklopft werden.

Wie plant Trump, das Bildungsministerium zu zerstören?

— Er hat vor, es in „Trump University" umzubenennen.

Was sieht man, wenn man Trump in die Augen schaut?

— Die Innenseite seines Schädels.

Was ist der Unterschied zwischen Donald Trump und Roland Reagan?

— Wenn Trump Alzheimer bekommen sollte, wird sein IQ hochgehen.

Was hat Trump noch außer viel Geld?

— Einen Friseur mit einem Sinn für Humor.

Was sieht Melania in Donald Trump?

— Zehn Milliarden Dollar und einen hohen Cholesterinspiegel.

Wie hat es Marla Maples geschafft, an einem
einzigen Tag zweihundert Pfund zu verlieren?

— Sie hat sich von Donald Trump scheiden lassen.

Warum kamen so wenige Republikaner zu
Trumps Inauguration in Washington?

— Weil es im Wetterbericht hieß, es gebe eine
50-prozentige Chance auf einen goldenen Regen.

Als Trump im Regierungsviertel eingeschworen
wurde, war ganz entfernt ein seltsames, kratzendes
Geräusch zu hören. Was war das?

— Abraham Lincoln, der verzweifelt versuchte,
aus seinem Sarg zu klettern.

Warum ist Trumps Mannschaft olympiareif?

— Weil sich seine Leute öfter mit der Russen getroffen
haben als das Olympische Dopingkomitee.

Was sagte Meister Yoda zu den Republikanern?

— Furcht ist der Pfad zur dunklen Seite. Furcht führt zu Wut
... Wut führt zu Hass ... Hass führt in das Weiße Haus.

Warum wird Donald Trump hundert Meter tief im
Boden begraben werden wenn er einmal stirbt?

— Irgendwo ganz tief unten ist er ein wundervoller Mensch.

6

Komiker spotten über Trump

Breaking News:
Kim Jong Un ist glücklich!

Er ist nicht mehr der verrückteste
Staatschef der Welt!

Es gibt Schizophrene mit Tourette-Syndrom, die mehr Kontrolle darüber haben, was aus ihrem Mund kommt, als Donald Trump."

— Bill Maher, Host der HBO-Talkshow *Real Time*

„Donald Trump sagte in einem Exklusiv-Interview mit dem Christian Broadcasting Network, ‚Ich glaube an Gott', aber natürlich sprach Donald über sich selber."

— Jay Leno, langjähriger Host der *Tonight Show* auf NBC

„Donald Trump hat Reportern seine Geburtsurkunde gezeigt. Wen interessiert seine Geburtsurkunde? Ich will wissen, ob das Ding auf seinem Kopf geimpft ist."

— Craig Ferguson, Late-Night Host

„Für Trump gibt es nur zwei Optionen, was Immigranten angeht: ‚Verschwinde', oder, ‚Heirate mich'."

— Jimmy Kimmel, Late-Night-Host auf ABC

„Was auch immer man über Trump sagt, er ist nicht dumm. Er ist ein schlauer Kerl, der wirklich versteht, was dumme Leute wollen."

— Andy Borowitz, der *Borowitz-Report*

„Dass es möglich ist, Zitate von Donald Trump mit denen eines betrunkenen Busfahrers zu verwechseln, sollte Amerikaner sehr nervös machen."

— Trevor Noah, *The Daily Show*

„Nun sagt Donald, er will Präsident werden und ins Weiße Haus ziehen. Warum nicht? Das wäre nicht das erste Mal, dass er eine schwarze Familie aus ihrem Haus geworfen hat."

— Snoop Dogg, Rapper

„Trump wird gerade vom Finanzamt geprüft. Glaubt
ihr, wenn er denen Steuern oder Strafen schuldet,
kann er Mexiko zwingen, die zu bezahlen?"

— Seth Meyer, Late-Night-Talker auf NBC

„Die gute Neuigkeit ist; Präsident Obama wurde in Amerika
geboren. Die schlechte Nachricht ist, Donald Trump auch."

— Jay Leno

„Ich war überrascht, dass Trump eine der Debatten des
Wahlkampfs in Las Vegas abhalten wollte, und dann
auch nah an der University of Las Vegas. Bisher hatte
er nicht viel Glück mit Casinos, oder Universitäten."

— Stephen Colbert, Late-Night-Show Host auf CBS

„Wenn Donald Trump gewinnt, wird Amerika bald aussehen
wie in ‚Zurück in die Zukunft II', als Biff die Befehle gab."

– Jimmy Kimmel

„Donald Trump ist die Sorte Mensch, der zur Superbowl geht und
denkt, wenn die Football-Spieler ihre Köpfe zusammenstecken,
um die Strategie zu debattieren, reden sie über ihn."

— Eric Schneiderman, Generalstaatsanwalt von New York

„Ich möchte eines sagen über Donald Trump; ich liebe Donald
Trump. Alle Komiker lieben Donald Trump. Wenn Gott uns
Komikern die Macht gäbe, Menschen zu erfinden, würden wir als
erstes Donald Trump erfinden. Er ist Gottes Geschenk an Komiker."

— Jerry Seinfeld, TV-Berühmtheit

Donald Trump hat mehrere ausländische Frauen. Es gibt also
tatsächlich Jobs, die Amerikaner nicht machen wollen.

— Mitt Romney, früherer Präsidentschaftskandidat

„Heute Nacht ehren wir einen Selfmade-Millionär, der mit
Nichts angefangen hat, hart gearbeitet hat, und ein Vermögen
gemacht hat. Dieser Mann ist Donald Trumps Vater."

– Seth McFarlane, Schöpfer von *South Park*

„Hillary Clinton ging zu Donald Trumps Hochzeit, aber sie
brachte kein Geschenk mit. Dafür, sagte Trump, werde sie
zu seinen nächsten drei Hochzeiten nicht eingeladen."

– Conan O'Brien, Late-Night-Komiker

„Trump hat mehr Frauen enttäuscht als
der Film *Sex and the City 2*."

— Lisa Lampanelli, Komikerin

„Leute sehen die Freiheitsstatue und sehen ein stolzes Symbol
unserer Geschichte als eine Nation von Immigranten, ein
Zeichen der Hoffnung für Menschen in der ganzen Welt. Donald
sieht die Freiheitsstatue und sieht eine Vier. Vielleicht eine
Fünf, wenn sie die Fackel weglegt und ihre Frisur ändert."

— Hillary Clinton, Präsidentschaftskandidatin

„Ich habe gehört, dass Donald Trump der Skyline von
New York so viel Schaden zugefügt hat, dass sie ihn
nicht mehr Donald nennen sollten, sie sollten ihn statt
dessen den 20. Flugzeugentführer nennen."

– Gilbert Godfried, Standup Comedian

„Obwohl Donald Trump eine harte Linie fährt, was
Immigration angeht, wurde seine Model-Agentur
bezichtigt, ausländische Models zu engagieren, die
billiger sind. Zur Verteidigung sagte Trump, das seien
keine Arbeiterinnen, das seien ‚zukünftige Frauen'."

— Conan O'Brien

„Die Trump-Präsidentschaft ist, als säßen wir in einem Flugzeug, und haben wir gerade herausgefunden, dass unser Pilot ein Wombat ist. Es gefällt mir nicht, ich verstehe nicht, wie es passiert ist und ich bin sicher, wir fliegen in eine Katastrophe, aber was soll's, komm schon, Batty, beweise, dass ich im Unrecht bin."

— John Oliver, Last Week Tonight auf HBO

„Trump ist ein Steuer betrügender, Investoren anschwindelnder, Arbeiter übers-Ohr-hauender, pathologisch Lügender, Generalstaatsanwälte bestechender, die Ehe brechender, mit der Mafia zusammenarbeitender, narzisstischer mehrfacher Trickbetrüger."

— Samantha Bee, *Full Frontal* auf TBS

„Heute Nacht ist Donald Trump hier. Also, ich weiß, dass er in letzter Zeit oft kritisiert wurde. Aber niemand ist glücklicher — und stolzer —, diesen Streit um die Geburtsurkunde hinter sich zu lassen als Donald. Jetzt kann er sich endlich den wichtigen Dingen zuwenden: Haben wir die Mondlandung gefälscht? Was ist wirklich in Roswell passiert? Und wo sind die Rapper B.I.G. und Tupac?"

— Barack Obama, Präsident

„Es ist, als kandidiere ein Internet-Troll als Präsident."

— Jon Stewart, *The Daily Show*

„Wegen Trump sind Weiße zu den Wahllokalen gerannt als gälte es, den ersten weißen Präsidenten der USA zu wählen."

— Larry Wilmore, Produzent der TV-Show *Blackish*

„Wenn Trump wirklich wollte, dass *Planned Parenthood* (das amerikanische Äquivalent zu Pro Familia) aufgibt, sollte er sie einfach zu einer Trump-Firma machen."

– Conan O'Brien

„Merkt Trump wirklich erst jetzt, dass seine Unterstützer ein
Haufen Wasserköpfe sind, die an Fensterscheiben lecken?
Donald, du sprichst zu den verrücktesten Menschen im
ganzen Land. Du könntest wahrhaftig deinen Schuh mitten
in der Rede ausziehen, ihn ans Ohr halten und sagen,
das ist ein Anruf von Batman, und sie würden so lange
still sein, bis du deinen Schuh wieder aufgelegt hast."

— Michael Che, *Saturday Night Live*

„Trump hat durchaus Erfolg in Nevada. Wirklich,
Trump ist für die Kernwählerschaft in Nevada sehr
attraktiv — Leute, die Bankrott erklärt haben."

— Conan O'Brien

„Donald Trump, zweifellos bist du ein New Yorker Denkmal.
Das bedeutet, es ist nur eine Frage der Zeit, bis du dich
selber abreißt, und stattdessen eine knallige, geschmacklose
Monstrosität hinstellst und deinen Namen daran befestigst."

— Larry King, CNN

„Es gibt Gerüchte, dass Russland ein psychologisches Profil von
Trump erstellt hat. Das soll Putin helfen, zu verstehen, wie er
denkt. Wir wissen ja, es ist wirklich schwer, Trump dazu zu bringen,
offen über sich selber zu reden. Er ist ein sehr privater Mensch."

— Jimmy Fallon, die *Tonight Show* auf NBC

„Alle Exemplare von Trumps Büchern werden nun aus der
Sachbuchabteilung in die Abteilung für Horrorliteratur umgeräumt."

— Larry Wilmore

„Trump ist nicht aufzuhalten. Er ist wie Godzilla
mit weniger außenpolitischer Erfahrung."

— Stephen Colbert

„Dieser Mann ist ein pathologischer Lügner. Er kennt den Unterschied zwischen der Wahrheit und der Lüge nicht. Er lügt praktisch bei jedem Wort, das aus seinem Mund kommt. Und er hat ein Verhaltensmuster präzise aus einem Psychologiebuch; nämlich: Er beschuldigt alle anderen, zu lügen."

— Ted Cruz, republikanischer Senator

„Trump ist garantiert kein russischer Spion. Spione wissen, wie man wichtige Dinge geheim hält."

— Michael R. Burch, amerikanischer Dichter

„Trump ist nicht Hitler. Er ist ein Irrer, der glaubt, er sei Hitler."

— Bill Maher

„Trump ist ein Superschurke in einer Welt ohne Helden, ein Mann so unausstehlich und unglücklich, dass Karma dafür sorgen wird, dass er als er selbst wiedergeboren wird. Man wünscht sich, dass er eine Therapie macht, aber das ist als würde man einen Fensterputzer für ein brennendes Gebäude engagieren. Es ist immer noch schwierig, ihn einzuordnen; er ist kein klassischer Nazi, aber er würde Bücher verbrennen, wenn seine Unterstützer lesen könnten."

— Frankie Boyle, britischer Komiker

7

Jetzt spricht der Präsident

Bei der BVG in Berlin ...

Trump über die Frauen

Seht euch dieses Gesicht an! Würde irgendwer so etwas wählen? Könnt ihr euch vorstellen, dass dies das Gesicht unserer nächsten Präsidentin ist? Ich meine, sie ist eine Frau, und es ist nicht meine Art, Schlechtes zu sagen, aber echt, Leute, wirklich. Meinen wir das ernst?"

Über Carly Fiorina, Präsidentschaftskandidatin der Republikaner

„Arianna Huffington ist unattraktiv, sowohl innerlich als auch äußerlich. Ich kann total verstehen, warum ihr Ex-Mann sie für einen anderen Mann verlassen hat — das war eine gute Entscheidung."

Über die Gründerin der Huffington Post

„Angelina Jolie war mit so vielen Männern zusammen, dass ich neben ihr aussehe wie ein Baby. Und ich finde sie noch nicht einmal attraktiv."

Über die Schauspielerin in der Larry King-Show

„Ihre Busenoperation sieht furchtbar aus. Also ob zwei Glühbirnen aus ihrem Körper kommen."

Über die Schauspielerin Carmen Electra

„Heidi Klum. Schade, sie ist keine Zehn mehr."

In einem Interview mit der New York Times

„Bette Midler ist zwar eine extrem unattraktive Frau, aber ich weigere mich, das zu sagen, weil ich immer darauf bestehe, politisch korrekt zu sein."

Auf Twitter

„Sie ist ein schreckliches, schreckliches, menschliches Wesen, die die Reputation ihres Mannes zerstört hat."

Über die New Yorker Immobilienerbin Leona Helmsley

„Rosie O'Donnell ist innen wie auch außen widerlich. Ihr braucht sie nur anzusehen, sie ist eine Schlampe. Sie spricht wie ein Lastwagenfahrer, sie hat keine Ahnung, sie sagt immer nur irgendwas, das ihr gerade einfällt."

Über die Schauspielerin auf *The Insider*

„Meryl Streep, eine der überschätztesten Schauspielerinnen in Hollywood, kennt mich nicht, aber sie hat mich während der *Golden Globes* attackiert. Sie ist ein Hillary-Lakai."

Über die mehrfache Oscar-Preisträgerin

„Absolut! Das ist praktisch ein Rekord! Früher hätte man gesagt, sie hat eine schlechte Figur."

Über die TV-Persönlichkeit Kim Kardashian und ob ihr Hintern groß ist

„Pocahontas, die falsche Indianerin."

Über Elizabeth Warren, Senatorin

Über Politik

„Ich glaube, wenn dieses Land noch ein kleines bisschen netter oder sanfter wäre, würde es aufhören, zu existieren."

In einem Interview mit dem *Playboy*

„Ich könnte mitten auf der Fifth Avenue stehen und jemanden erschießen, und ich würde keinen einzigen Wähler verlieren."

Bei einer Wahlkampfrede

„Das Konzept der Globalen Erwärmung wurde von und für die Chinesen erfunden, weil die wollen, dass die amerikanische Industrie nicht mehr wettbewerbsfähig ist."

Auf Twitter

„Wenn ich ein liberaler Demokrat wäre, würden die Leute sagen,
ich wäre das Supergenie aller Zeiten. Das Supergenie aller Zeiten.
Aber wenn du ein konservativer Republikaner bist, musst du
ums Überleben kämpfen. Es ist wirklich ganz unglaublich."

In der Sendung Meet the Press auf NBC

„Ich habe eine großartige Beziehung zu den Schwarzen."

Im Talk Radio

Über die Konkurrenz:

„Mitt Romney — Ich habe einen Gucci-Laden,
der mehr Geld verdient als Romney."

Über den ehemaligen Präsidentschaftskandidaten

„Ich möchte nicht das Wort Bescheißen
verwenden, aber ich habe ihn beschissen."

Über einen Immobiliendeal mit Muammar Gaddafi

„Ich habe noch nie ein menschliches Wesen gesehen, das so
schwitzt wie dieser Mann schwitzt ... er sah aus, als sei er gerade
mit seinen Klamotten in ein Schwimmbad gesprungen."

Über Senator Marco Rubio

„Er hat nicht die richtigen Gene abgekriegt."

Über Rand Paul, Senator und Sohn von Ron Paul

„Jeb Bush muss all die Illegalen aus Mexiko
mögen wegen seiner Frau."

Auf Twitter

„Ich bin der Ernst Hemingway der 140 Anschläge."

Auf Twitter

Über sich selber

„Die Presse dachte immer, ich sei dieser schreckliche,
feuerspuckende, furchtbare Tyrann. Stimmt's? Nun habe ich eine
TV-Show, wo ich praktisch Leute feuere und alle denken, ich sei
so ein netter Kerl. Daran sieht man, was ich für ein Image hatte."

Im Gespräch mit Larry King auf CNN

„Tut mir leid, Versager und Hasser, aber mein IQ ist einer
der höchsten, und ihr wisst das alle. Hört auf, euch dumm
oder unsicher zu fühlen, es ist nicht eure Schuld."

Auf Twitter

„Mit der richtigen Frau brauchst du kein Viagra!"

In der Radioshow von Howard Stern

„Es ist eine gefährliche Welt da draußen. Es ist
angsteinflößend, wie Vietnam. Es ist wie in der Ära des
Vietnamkriegs. Es ist mein persönliches Vietnam. Ich fühle
mich wie ein großartiger und sehr tapferer Soldat."

In der Radioshow von Howard Stern, zum Thema: Mit Frauen
zu schlafen, die eine Geschlechtskrankheit haben könnten.

„Ich denke, es ist großartig, sich zu entschuldigen, aber nur, wenn
man im Unrecht ist. Ich würde mich unbedingt entschuldigen in
einer hoffentlich noch fernen Zukunft, falls ich jemals falsch lag."

In der Tonight Show mit Jim Fallon

„Denkt daran, es gibt keine unrealistischen Ziele
— nur unrealistische Zeitvorstellungen."

Auf Twitter

8

Nachher:
Der Liebe Gott
und der
Gottseibeiuns

> *"Ich zahle keine Steuern ... das zeigt, dass ich schlau bin..."*

Donald Trump erwarb einmal – in einem geheimnisvollen, mit vielen seltsamen Dingen vollgestopften Laden in Chinatown – ein rotes Telefon, mit dem er Satan anrufen konnte. Er versucht es, und tatsächlich, der Fürst der Hölle hebt ab. Die beiden sprechen für fünf Minuten, und Satan prophezeit Trump, dass er Präsident der USA werden würde. „Ich garantiere es dir", sagt Satan. „Aber danach bist du in meiner Schuld."

Trump legt auf, und der Operator sendet ihm sofort die Rechnung. Sie beträgt 5000 Dollar. Trump bekommt fast einen Herzinfarkt und benutzt das Telefon nie wieder.

Im Jahr 2015 beschließt er dann, sich auf die Voraussage von Satan zu verlassen, und als Präsident zu kandidieren. Und tatsächlich, ein Jahr später hat er gewonnen.

Am Morgen nach der Wahl beschließt Trump, seinen Geiz zurückzustellen, und ruft Satan noch einmal an. „Schön, endlich mal wieder von dir zu hören", sagt der Fürst der Hölle. „Also, hier ist was du als Präsident tust ..."

Satan gibt ein paar Ratschläge, und nach fünf Minuten ist auch dieses Telefongespräch vorbei. Dann kommt wieder die Rechnung vom Operator. Es ist ein Dollar.

Trump wird misstrauisch. „Warum ist das plötzlich so billig?" fragt er.

Der Operator: „Weil es nun ein Ortsgespräch ist."

Donald liegt schwerkrank auf dem Totenbett. Um ihn herum stehen alle seine Kinder und hören schwer betroffen seine letzten Worte. „Ich will mein Geld mitnehmen, wenn ich in den Himmel komme", sagt er. „Ich will, dass ihr Goldbarren kauft, und sie mir ins ewige Leben mitgebt."

Die Kinder finden den Wunsch nicht ungewöhnlich, sie kennen den Vater ja, aber sie wissen nicht, wie so etwas funktionieren soll.

Aber in dieser Nacht träumt Trump vom Erzengel Michael. Er bittet Michael, zum Lieben Gott zu fliegen und dort zu erreichen, dass er einen Koffer voller Goldbarren mitnehmen darf. Am frühen Morgen der Nacht hat Trump einen weiteren Traum vom Erzengel Michael, der ihm sagt, der Liebe Gott habe es ihm tatsächlich versprochen. Als Trump aufwacht, erzählt er seinen Kindern davon. Und die bringen ihm einen Koffer mit Goldbarren.

Als Trump kurz darauf stirbt, findet er sich vor der Himmelspforte wieder, und tatsächlich, der Koffer steht immer noch neben ihm. Aber Petrus will ihn mit dem Koffer nicht hereinlassen.

„Doch, doch", sagt Trump. „Ich habe die Erlaubnis vom Lieben Gott. Er macht für mich eine Ausnahme. Der Erzengel Michael hat es mir versprochen."

Petrus kann das nicht so recht glauben, und er schickt einen seiner Engel zum Lieben Gott, um nachzufragen. Und tatsächlich, der Engel kommt zurück mit einer guten Botschaft: Der Liebe Gott hat es gestattet.

Petrus ist immer noch skeptisch, und er bittet Trump, den Koffer wenigstens aufzumachen, damit er sehen kann, was da drin ist. Trump tut das auch, und Petrus ruft erstaunt aus. „Was? Du hast Pflastersteine mitgebracht?"

Trump stirbt und kommt an der Himmelspforte an. Petrus ist einigermaßen erstaunt, ihn zu sehen, aber er fragt dann doch, was er Gutes getan hat, damit er in den Himmel kommt. Trump denkt eine Zeitlang nach. „Vor drei Jahren habe ich einem Obdachlosen am Times Square einen Dollar gegeben", sagt er dann.

Petrus kann das nicht so recht glauben, und so bittet er den Erzengel Gabriel, ihm das Große Buch des Himmels zu bringen. Und tatsächlich, darin ist die gute Tat verzeichnet.

„Na gut", sagt er. „Aber bloß ein Dollar ..."

„Vor fünf Jahren", fällt Donald noch ein, „habe ich einer Kellnerin zwei Dollar Trinkgeld gegeben, obwohl ein Dollar gereicht hätte."

Petrus schlägt auch das im Großen Buch nach, und gerade, als er es gefunden hat, ist Donald noch etwas eingefallen. „Vor zehn Jahren habe ich einem Bettler in der Grand Central Station 50 Cents gegeben", sagt er.

„Hmm...", sagt Petrus und wendet sich an Gabriel. „Was machen wir nun?"

Gabriel überlegt. „Weißt du was, wir geben dem Geizhals seine zwei Dollar fünfzig zurück und schicken ihn in die Hölle".

Der Präsident stirbt überraschend an einer Pilzvergiftung. Als er an der Himmelspforte landet, steht da auch Hillary Clinton, die am gleichen Tag gestorben ist.

„Hallo Präsident Trump!" ruft Petrus, und öffnet die perlenbesetzten Türen der Himmelspforte. Und zu Hillary sagt er, „Sorry, aber du musst in die Hölle."

„Was?" sagt Hillary. „Ich muss in die Hölle und Trump kommt in den Himmel? Warum denn das?"

„Naja", sagt Petrus. „Als du gestorben bist, gab es kaum eine Reaktion da unten auf der Welt. Aber kaum ging die erste Nachricht von Trumps Pilzvergiftung über Twitter, fingen Leute auf der ganzen Welt wie verrückt an zu beten."

Der Liebe Gott hat die Nase voll vom ewigen Zank auf Erden und beschließt, die Menschen in einer allumfassenden Flut zu ertränken. Um ihnen aber vorher eine Chance zur Reue zu geben, ruft er die drei wichtigsten Staatschefs zusammen und erzählt ihnen, was er vorhat. Das sind, natürlich Xi Liping, Putin und Trump. Daraufhin tritt Xi Liping vor die chinesischen TV-Kameras und sagt: „Ich habe zwei schlechte Nachrichten für mein Land. Es gibt einen Gott, und er wird die Welt untergehen lassen."

Auch Putin tritt vor die Kameras. „Ich habe eine gute und eine schlechte Nachricht für Russland", sagt er. „Es gibt Gott, aber leider er wird die Welt vernichten."

Trump greift zu seinem Handy und twittert: „Amerika, zwei großartige Nachrichten: Es gibt Gott. Und ich regiere euch bis ans Ende der Zeit."

An einem sonnigen Tag kommen an der Himmelspforte
drei große Verstorbene an — eigentlich sind sie
lange nacheinander verstorben, aber im Himmel
funktioniert die Zeitrechnung halt anders. Die drei sind
Albert Einstein, Pablo Picasso und Donald Trump.

Alle drei stellen sich vor, und Petrus sagt: „Ihr müsst
leider beweisen, wer ihr seid. Ihr glaubt gar nicht,
wer hier alles versucht, sich hereinzuschmuggeln."

„Na gut", sagt Einstein. „Bringt mir eine Tafel und Kreide."

Petrus schnippt mit dem Finger, und der Erzengel Michael
bringt das Verlangte. Einstein zeichnet nun zügig die
Grundzüge seiner Relativitätstheorie auf die Tafel, und
Petrus sagt: „In Ordnung, Albert, du bist es. Kommt rein."

Nun ist Picasso dran, und der verlangt Leinwand und
Farben. Auch das bringt der Erzengel Michael, und
Picasso wirft wilde Muster auf das Tuch. „Gut", sagt
Petrus. „Ich sehe schon, Pablo, das bist du." Dann dreht
er sich zu Trump. „Also, Donald, nun haben Einstein
und Picasso bewiesen, wer sie sind, nun bist du dran."

Darauf Donald: „Wer sind Einstein und Picasso?"

Petrus seufzt. „Ist gut, Donald, komm rein."

Der Postillon

Ehrliche Nachrichten - unabhängig, schnell, seit 1845

Montag, 20. Februar 2017

Trump spricht japanischer Regierung Beileid für Godzilla-Angriff aus

Washington (dpo) - US-Präsident Donald Trump hat der japanischen Regierung heute sein Beileid ausgesprochen. Er bedauere die in Tokio durch das Monster Godzilla angerichtete Verwüstung zutiefst, so Trump. Als er das Blutbad gestern Abend im Fernsehen gesehen habe, sei er aufs Äußerste erschüttert gewesen.

In einer Rede an das amerikanische Volk nannte der Präsident die "jüngsten Ereignisse in Japan" eine Warnung, aus der sein Land lernen solle. "Habt ihr auf AMC gesehen, was gestern Nacht in Japan passiert ist? Schrecklich! Das Land ist von dieser riesigen radioaktiven Echse völlig zerstört worden. Tausende Tote! Das war noch viel schlimmer als der Anschlag in Schweden am Freitag."

Auf Twitter legte Trump nach. Gleichzeitig bat er die japanische Regierung, ihre bisherigen Erkenntnisse über das Monster mit den USA zu teilen. "Wir müssen sicherstellen, dass sich solch eine Attacke nicht bei uns wiederholen kann", so Trump. Er habe die Pazifikflotte bereits in Alarmbereitschaft versetzt.

Sein Hauptaugenmerk liege nun auf dem Schutz der Vereinigten Staaten, erklärte er. "Wir dürfen nicht die gleichen Fehler machen wie Japan. Ich habe meine fähigsten Leute damit beauftragt, unverzüglich den Bau einer gigantischen Mauer entlang der amerikanischen Pazifikküte gegen atomar verseuchte Riesenechsen zu prüfen."

Am Ende seiner Rede kündigte Trump zudem an, innerhalb der nächsten Tage per Dekret einen Einreisestopp für Reptilien aller Art zu erlassen.

George W. Bush, Barack Obama und Donald Trump besteigen alle zusammen die Air Force One, um zur Superbowl zu fliegen, dem Endspiel der Football-Meisterschaft in Amerika. Leider stürzt das Flugzeug ab und alle drei sind auf der Stelle tot.

Sekunden später erscheinen sie vor dem Lieben Gott. Und der ruft alle drei der Reihe nach zu sich. Als erstes fragt er Bush: „Woran hast du in deinem Erdenleben geglaubt, mein Sohn?"

Bush sagt, wie aus der Pistole geschossen: „Ich glaube an die Christenheit und an die Größe der amerikanischen Nation!"

„Sehr gut", sagt Gott. „Komm, mein Sohn,
und setze dich zu meiner Rechten."

Als nächstes ruft er Obama vor sich, und will auch von ihm wissen, woran der Präsident glaubt.

„Ich glaube an das Gewissen, die Gerechtigkeit und die Freiheit", sagt Obama.

„Auch gut", sagt Gott. „Setze dich zu meiner Linken!"

Und als letztes fragt Gott Donald Trump.
„Und was glaubst du, mein Sohn?"

Trump: „Ich glaube, du sitzt auf meinem Stuhl!"

Bernie Sanders, der geliebte Demokrat stirbt, und kommt in den Himmel. Petrus empfängt ihn an den Perlentüren und begrüßt ihn begeistert. Dann bietet er dem lebenslangen Kämpfer für die Menschen in Amerika an, ihn herumzuführen und ihm alles zu zeigen. Bernie will natürlich alles sehen.

Petrus zeigt ihm den ganze Himmel, die Wolken, die Manna regnen, der Chor der Engel, die goldenen Harfen. Bernie sieht die Schildkröte, die er als Kind gehabt hat, seine Großmutter, und er darf sogar Hallo zu George Washington sagen. Schließlich, am Ende der Tour, bringt ihn Petrus in einen riesigen Saal, der mit einer gewaltigen Zahl von Uhren gefüllt ist.

„Das ist ja unglaublich", sagt Bernie. „Wie viele Uhren sind hier?"

„Das weiß nur der Liebe Gott selber, und die Jungfrau Maria", sagt Petrus.

„Und warum sind die hier?" fragt Bernie.

„Jedes Mal, wenn auf der Erde ein Mensch lügt", sagt Petrus, „rückt seine persönliche Uhr eine Minute vor."

Da sieht Bernie plötzlich eine Uhr an der Decke, deren Zeiger sich rasend schnell drehen. „Was ist denn das?" fragt er.

„Ach, das ist die Uhr von Donald Trump", sagt Petrus. „Wir benutzen sie als Ventilator."

Donald Trump erleidet einen Herzinfarkt und stirbt. Natürlich geht er direkt in die Hölle. Dort wartet bereits der Teufel auf ihn.

Der Teufel guckt ihn an. „Ich bin mir nicht sicher, wohin ich dich stecken soll", sagt er. „Du gehörst natürlich hierher, aber ich habe gar keinen Platz für dich. Also, ich fürchte, ich werde jemand anders gehen lassen müssen. Zum Glück habe hier drei Leute, die ihre Strafe schon abgebüßt haben. Ich schicke einen von denen in den Himmel, und du musst dessen Platz einnehmen. Aber ich werde es dir überlassen, wen du gehen lässt."

Trump ist einverstanden, und der Teufel führt ihn zu dem ersten Raum. Da sitzt Ronald Reagan. Reagan sitzt in einem feurigen Becken, umgeben von Flammen, und versucht vergebens, herauszuklettern.

Trump schüttelt sich. „Das ist nichts für mich", sagt er. „Ich vertrage so viel Hitze nicht."

„Na gut", sagt der Teufel und führt ihn in den zweiten Raum. Darin ist ein Steinbruch, und mittendrin ist Richard Nixon, der die Steine mit einem Vorschlaghammer bearbeitet.

Trump guckt noch unglücklicher. „Das ist erst recht nichts für mich", sagt er. „Ich hab's an der Schulter, ich kann nicht so hart arbeiten."

Und so führt ihn der Teufel zum dritten Raum. Darin liegt Muhammed Ali auf einem Bett. Über ihm kniet Marilyn Monroe und bläst ihm einen. Trump lächelt zum ersten Mal und sagt, „Das ist gut, das nehme ich."

„Okay", sagt der Teufel. „Marylin, du kannst gehen."

Ein langweiliger Tag in der Hölle. Thomas Edison, Nicola Tesla, Steve Jobs, und Donald Trump gucken Dauerwerbefernsehen, das einzige Programm. Plötzlich taucht Satan auf.

„Ich bin jetzt auf Twitter", sagt er. „Und ich habe erfahren, dass die Menschen auf der Erde glauben, ihr seid die intelligentesten Köpfe, die es jemals gegeben hat. Sagt mir, was ihr so Geniales getan habt, und wenn mich das überzeugt, lasse ich euch gehen."

Thomas Edison, wie aus der Pistole geschossen: „Ich habe jede Menge Erfindungen gemacht, darunter die Glühbirne."

„Interessant", sagt Satan: „Du kannst gehen."

Daraufhin sagt Tesla: „Ich habe sogar die Elektrizität erfunden, damit die Glühbirne auch funktioniert."

Satan, noch beeindruckter: „Du kannst ebenfalls gehen."

Nun ist Steve Jobs dran. „Ich habe den ersten brauchbaren Computer der Menschheitsgeschichte erfunden", sagt er.

„Großartig", sagt Satan. „Du kannst auch gehen."

Nun kommt Trump. „Ich habe eine wunderbare Freundschaft mit Wladimir Putin aufgebaut ..."

„Ich weiß, du Idiot", sagt Satan. „Das war ich."

„Ach ja, richtig", sagt Trump. „Erinnere mich nochmal, was machst du die ganze Zeit in meinem Weißen Haus?"

Als Trump nach vielen Jahren stirbt, wird er als Hund wiedergeboren. Aber weil er „Der Donald" war, gibt ihm Buddha ein besonderes Geschenk: Er kann sprechen. Und so lebt er als sprechender Hund im Hof eines Bauern im Mittleren Westen. Eines Tages stellt der Bauer ein Schild auf: „Sprechender Hund zu verkaufen".

Kurz darauf kommt ein Mann vorbei, sieht das Schild, und will sich den Hund ansehen. Der Bauer sagt ihm, der Hund ist hinten im Hof. Und tatsächlich, da sitzt ein großer, orangefarbener Mischlingshund.

„Du kannst sprechen?" fragt der Mann, ein wenig skeptisch?

„Ja, klar", sagt der Hund.

„Wie bist du dann hierher geraten?" fragt der Mann.

Der Hund sieht ihn an und fängt an zu erzählen: „Ich war einmal der intelligenteste Mensch der Welt. Ich habe Milliarden verdient, ich ganz alleine, und schließlich wurde ich Präsident der USA, das habe ich auch ganz alleine geschafft. Jeder hat mich geliebt! Ich wurde Der ehrliche Donald genannt. Dann hat irgendjemand eine Drohne geschickt, die mich getroffen hat, und weil ich der intelligenteste Mensch der Welt war, hat Buddha mir die Gabe der Sprache gegeben, nachdem ich re-inkarniert wurde."

Der Mann ist völlig fasziniert. „Wieviel wollen Sie für den Hund haben?" fragt er den Bauern.

„Zehn Dollar", sagt der.

„Zehn Dollar!" ruft der Mann aus. „Aber dieser Hund ist einmalig. Er kann sprechen. Warum geben Sie ihn so billig weg?"

„Weil er ein gottverdammter Lügner ist!"

Vermisst ihr mich?

2009 — Nee

2010 — Nee

2011 — Nee

2012 — Nee

2013 — Nee

2014 — Nee

2015 — Nee

2016 — Nee

2017 — OH, GÜTIGER JESUS, JA!

Der von Chuck Williams gestaltete Trump-Troll
ist erhältlich für 25 Dollar auf Kickstarter, www.
kickstarter.com/projects/560181280/trump-
troll-doll-sculpture-by-chuck-williams.

Der Trump-Troll ist demnächst auch auf Chuck Williams
Webseite zu erwerben, http://williamsstudio2.com/

WilliamsStudio2

Costumes, accessories, replica props, patterns and art

1307 Sales   On Etsy since 2011
★ ★ ★ ★ ★ (305)

♡ Favorite shop (910)

Fotonachweise:
Seite 7:   Glenn Francis, www.PacificProDigital.com
Seite 15: Michael Vadon
Seite 76: Mike Licht
Seite 90: DonkeyHotey
Seite 84: BVG (Berliner Verkehrsbetriebe)
Seite 97: Eugene Flores,
https://www.flickr.com/photos/eugeneflores/3518082842

EVA C. SCHWEITZER

TRUMP PARTY
Der weiße Wahn

Wie Amerikas Neue Rechte
nach der Macht greift

Neuauflage von
Tea Party
Die Weiße Wut

Wenn Ihnen das Buch gefallen hat, gefällt
Ihnen sicherlich auch dieses ...

9 783960 260097